KB183550

"성공한 사람보다는 가치 있는 사람이 돼라."
- 알버트 아인슈타인(Albert Einstein)

悠遊100年:趙爺爺和你分享五顆歡喜心

作者:趙慕鶴/口述;方雅惠/撰稿

유유자적 100년

옮긴이 김영화

용인대학교 중국학과를 졸업했으며, 산둥 대학교에서 교환학생으로 수학했다. 출판사에서 오랫동안 중국 전문 편집자로 일했으며, 현재는 프리랜서 번역가로 활동하고 있다. 현재 일본에 거주하고 있으며, 중화권 및 일본어권의 좋은 책을 알리는 데 힘쓰고 있다. 옮긴 책으로는《권력 전쟁》,《남자의 도》,《자유처럼 아름다운》(미출간) 등이 있다.

유유자적 100년

1판 1쇄 인쇄일_ 2012년 12월 5일 | 1판 1쇄 발행일_ 2012년 12월 12일 | 구술_ 자오무허 | 집필_ 팡야후이 | 옮긴이_ 김영화 | 펴낸이_ 류희남 | 편집장_ 권미경 | 교정교열_ 김진희 | 펴낸곳_ 물병자리 | 출판등록일(번호)_ 1997년 4월 14일(제2-2160호) | 주소_ 110-070 서울시 종로구 내수동 4 번지 옥빌딩 601호 | 대표전화_ (02) 735-8160 | 팩스_ (02) 735-8161 | 이메일_ mbpub@hanmail.net | 트위터_ @AquariusPub | 홈페이지_ www.mbage.com | ISBN_ 978-89-94803-14-2 03820

백 년을 사는 다섯 가지 즐거운 마음가짐

유유자적 100년

• 자오무허 구술, 팡야후이 집필 | 김영화 옮김 •

물병자리

추천사 1

무궁한 생명의 비밀

양리저우(楊力州, 다큐멘터리 감독)

태양이 타는 듯 내리쬐던 작년 여름 처음으로 자오 할아버지를 만났을 때, 그는 가오슝(高雄) 시 문화센터 근처에 살고 있었다. 1년여 전에 밤낮없이 영화 〈청춘 응원단(青春啦啦隊)〉을 찍고 있을 때는 이렇게 빨리 멋진 어르신을 만나 뵐 수 있으리라고는 생각지도 못했다.

가오슝 사범대학 기숙사 로비에서 가장 먼저 든 생각은 100세 노인이 어떻게 엘리베이터가 없는 4층 아파트에서 살 수 있을까 하는 것이었다. 나는 출판사의 동료와 함께 좁은 계단을 걸어 올라갔는데, 30도가 넘는 고온 때문인지 땀이 비 오듯 흐르고 거친 숨을 몰아쉬었다.

나는 옆의 동료가 볼세라 숨을 고르며 벨을 눌렀다. 열린 문 뒤로 자오 할아버지의 모습을 보았을 때 그가 100세라는 사실을 도저히 믿을 수 없었다. 힘 있는 걸음걸이, 낭랑하고 깊게 울려 퍼지는 목소리……. 그리고 그 무엇보다 중요한 것은 명쾌한 논리력과 기억력이었다.

"자…… 자오…… 할아버지…… 안녕하세요."

입을 열자 나의 부실한 체력을 감출 수가 없었다.

"거기 서있지 말고 앉아요, 앉아!"

자오 할아버지는 우리에게 손수 차린 식사를 대접했다. 내 인생 최초로 100세 노인이 주방에서 손수 만든 음식을 받아 보는 순간이었다. 우리는 노인이 손수 밥을 하고 거들지도 못하게 하자 어찌할 바를 모르고 서 있었다. 지금도 당시 상황을 떠올려 보면 웃음이 나온다.

나는 노인에 관한 다큐멘터리 〈잊힌 시간(被遺忘的時光)〉과 〈청춘 응원단〉을 연이어 찍고 난 후인데도 청춘에 깃들어 있는 자유로운 분위기가 어찌하여 자오 할아버지에게 그토록 자연스러울 수 있는지 이해하지 못했다. 자오 할아버지와 이야기를 나눌 때 나이라는 숫자는 의미를 잃었다. 그가 100년이라는 시간 동안 얻은 것은 나이라는 숫자가 아니라 보다 고차원적인 지혜와 인생관이었다.

'아, 봄바람에 흠뻑 젖는다는 게 이런 느낌이구나!'

나는 이런 생각이 들었다. 짧디짧은 두 시간의 만남은 어느새 끝났고, 나는 그 후로 이 책의 출간을 마음속 깊이 고대해 왔다. 이 책 안에 무궁한 생명의 비밀이 담겨 있음을 알기 때문이다.

추천사 2

혼란스러운 세상에 삶의 기적을 쓰다

천더허(陳德和, 난화 대학 철학 · 생명교육학과 교수)

많은 사람이 20세기를 변화무쌍하고 급변하는 시대로 인식하는데, 특히 중화권에서 20세기는 곡절이 많고 행운과 불운이 뒤엉킨 불확실한 시대였다. 그러나 시대가 아무리 격변해도 사람들은 여전히 하루하루를 살아간다. 더 대단한 것은 모든 사람이 자신만의 길을 개척하며 스스로의 분위기를 만들어 간다는 것이다. 산둥(山東)에서 태어났지만 운명에 이끌려 타이완 가오슝에 갑자(60년) 이상의 족적을 남긴 자오 선생은 역사의 산증인이다. 그는 혼란스러운 세상에서 경외심마저 불러일으키는 삶의 기적을 써내려왔다. 그리고 21세기에 들어선 지금도 여전히 발전을 거듭하고 있다.

자오 선생은 1912년 7월생인데, 여전히 건강하고 활력이 넘친다. 자오 선생의 인생은 중국과 타이완, 그리고 유럽, 아시아를 넘나든다. 그 활력 넘치고 풍부한 삶의 역사와 뭇사람들의 심금을 울리는 감동적인 이야기를 담은 이 책의 한 부분을 내가 맡을 수 있다니, 어찌 큰 행운이 아니겠는가?

자오 선생은 96세의 고령에 다시 책가방을 메고 난화(南華) 대학 철학 연구소에서 석사 과정을 공부했다. 그리고 내 입으로 말하기는 쑥스럽지만, 그의 이 감동적인 이야기에 나도 빼놓을 수 없는 한 축을 담당했다. 자오 선생이 들은 교과 과정 가운데 내 수업이 가장 많았고, 학위 논문 또한 지도 교수로 내 이름을 올렸으며, 내가 마지막으로 검토를 봤다. 자오 선생과 나는 스승과 제자라는 이름으로 묶여 있었고, 그는 나에게 깍듯이 예를 갖추었으며, 나는 인생의 스승이나 선배로서 진심으로 그를 존경했다. 자오 선생과 나 사이에 쌓인 정은 많은 이들의 감동을 자아냈지만, 그 중에서도 가장 기억에 남는 순간은 그와 처음 만났을 때다.

그날 나는 평소와 다름없이 교실에서 수업을 준비하고 있었는데, 갑자기 보통의 석사 과정 학생보다 월등히 나이가 많은 듯한 거대한 그림자가 문가에 드리웠다. 순간, 수업을 참관하러 온 학부모라는 생각이 들었고, 나는 거의 절을 올리듯 예를 표했다. 어르신은 수업을 들으러 온 학생이라고 자신을 소개했다. 자오 선생은 입학 수속은 다 밟아 둔 상태지만 정식으로 나의 동의를 얻고 싶으며, 그러지 않고서는 감히 수업을 들을 수 없다고 말했다.

자오 선생의 이런 모습은 지금까지도 인상 깊이 남아 있다. 세상의 이치를 통달한 황혼기의 노인이 부끄러워하지 않고 자신보다 어린 사람에게 가르침을 구할 결심을 하다니……. 게다가 그는 간절하고 신중하며 정중한 모습을 유지하면서도 아주 자연스러웠으며, 남보다 튀어 보이려는 모습은 눈곱만큼도 보이지 않았다.

그 후에 드러난 자오 선생의 삶의 모습들에는 이렇듯 진실함이 배어 있었다. 그는 누구와 만나든지 편안하게 대화했고, 열심히 학문을 닦으며 도를 숭상했으며, 스승을 존경하고 선행을 베풀었다. 이는 모두 그의 수양의 경지에서 비롯된 것이며, 견식과 지혜에서 우러나온 것이기도 하다.

자오 선생은 지금 화제의 인물로 손꼽히고 있다. 그는 고령의 나이에도 평생 배움의 끈을 놓지 않았으며, 능력의 한계를 잘 알아 해야 할 일은 하고 하지 말아야 할 일은 하지 않았다. 이는 '오로지 의로움만을 따르는' 절개라고도 할 수 있다. 그래서 그는 책임감과 기백을 지니고 아무리 멀리 나아가도 도리와 규칙을 넘는 일이 없었다. 공직에 몸담았을 때는 성실히 임무를 수행했고, 청렴결백함과 공평무사함, 그리고 충직함을 잃지 않았다. 하는 것이 없기에 하지 않는 것이 없는 '도법자연[道法自然, 《도덕경(道德經)》에 나오는 말로, 도는 자연을 따른다는 의미다_옮긴이]'의 마음가짐을 지닐 수 있었던 것은 그가 태어나면서부터 개방적이고 느긋한 마음을 지녔기 때문이다. 그는 어떤 환경에도 잘 적응했고, 거처나 식생활에 개의치 않았으며, 마음 내키는 대로 행동하고 즐겁고 만족스럽게 살았다. 그의 삶 속에는 소탈하고 꾸밈없는 정취가 넘쳐흐른다. 위진남북조 시대의 명사들은 '명분을 깨달을수록 자연에 맡기는' 경지를 추구했는데, 자오 선생은 명분과 자연의 조화를 이루었음에 의심의 여지가 없다. 그리고 이것이 바로 삶의 기적의 원천이다.

자오 선생을 아는 사람은 모두 그의 삶에 경탄하고 박수를 보내는데,

이 책을 집필한 팡야후이 또한 같은 경험을 했기에 열정을 가지고 자오 선생의 일생의 세세한 이야기들을 기꺼이 경청했을 것이다. 그는 내용을 정리하고 한 권의 책으로 완성해《유유자적 100년》이라는 제목을 붙였으며, 타이완 건국 100주년에 맞춰 출간했다. 나는 자오 선생의 기적이 더 많은 사람에게 알려지는 것에 크게 기뻐하며 〈상업주간〉 출판 관계자 및 전 언론 매체 종사자들의 혜안과 깊은 식견에 경의하는 뜻으로 기꺼이 추천사를 썼다. 다시 한 번 진심으로 자오 선생의 수복을 기원하며 한마디 남기고 싶다. 자오 선생님, 정말 대단하십니다!

주변 사람들이 본 자오 할아버지

"자오 할아버지 같은 본보기가 없었다면 사람들은 나이나 직업을 핑계 삼기 바빴을 것이다. 하지만 이 책을 읽은 사람들은 앞으로 다시는 시간이 부족하다거나 나이가 너무 많다는 핑계를 대지 않을 것이다." - **여우후이전**(尤惠貞, 난화 대학 철학 · 생명교육학과 교수)

"선생님의 가장 좋은 점은 권위적이지 않고, 거리감이 없으며, 남을 함부로 대하지 않는다는 것이다. 단 한 번도 선생님을 노인이라 생각한 적이 없으며, 심지어 100세가 넘었다는 것조차 종종 잊어버린다." - **중메이샹**(鐘美香, 가오슝 사범대학 영어과 졸업생)

"자오 할아버지는 젊은이들과 함께 지내면서 늘 머릿속을 업데이트했다. 그래서 끊임없이 주위 사람의 성장을 독려하는 힘이 솟아났다." - **천신량**(陳信良, 난화 대학 연구소 시절의 룸메이트)

"자오 할아버지는 누구와 만나든지 편안하게 대화했고, 열심히 학문을 닦으며 도를 숭상했으며, 스승을 존경하고 선행을 베풀었다. 이는 모두 그의 수양의 경지에서 비롯된 것이며, 견식과 지혜에서 우러나온 것이기도 하다." - **천더허**(난화 대학 철학 · 생명교육학과 교수)

"반세기가 다 되어 가지만 선생님의 은혜는 해와 달처럼 영원히 나를 비추고 있다."
- **양셴룽**(楊顯榮, 가오슝 사범대학 영어과 졸업생)

"선생님은 무슨 일이든 당신의 이익을 먼저 생각하는 법이 없었고, 늘 남의 일을 우선시했다." - **예수이룽**(葉水蓉, 가오슝 사범대학 국문과 졸업생)

"선생님처럼 깊고 넓은 인생관을 지닌 사람은 정말 보기 드물다." - **차이궈빈**(蔡國彬, 가오슝 고등사범학교 국문과 졸업생)

"자오 할아버지는 전쟁과 100년간의 타이완의 변화를 세세하게 몸소 겪어 왔다."
- **천먀오성**(陳淼勝, 난화 대학 학장)

시작하기 전에

일생의 경험을 나누다

어린 시절의 나는 말이 많지 않고 조용한, 어른들이 보기에 착하고 말 잘 듣는 아이였다. 친구들과 어울리기보다 혼자 있는 것을 좋아했고 차분했는데, 그럴 때면 유유자적하고 아무런 구속도 받지 않는 느낌이 들었다. 이런 내성적인 성격은 어른이 되어서도 변하지 않았다. 공부할 때는 공부하고, 경극을 보고 싶으면 보러 가고, 장에 가고 싶으면 가면서 자유롭게 살았고, 위대한 업적을 남기겠다는 생각은 전혀 없었다. 그렇다고 빈둥거린 것은 아니었지만, 시국이 어수선하다며 가족이 일하는 것을 만류해 직업을 갖지 않고 학생 신분을 이어 갔으며, 가족을 부양할 필요도 없었다.

전쟁은 모든 것을 바꾸어 놓았다. 어머니는 집을 떠나는 나에게 고생을 두려워하지 말라고 거듭 신신당부했다. 나는 어머니의 교훈을 받들어 스스로를 격동의 시대에 한목숨 구걸하는 한낱 개미로 여겼다. 늘 '고생까짓것 해보지 뭐. 목숨이 붙어 있어 배불리 먹을 수 있고, 걸칠 옷이 있다면 복 받은 셈 아닌가' 하고 생각했다. 물질적인 요구는 최소화되고, 출세에 대한 생각은 거의 없어졌다. 피난 과정에서 얻은 인생철학 덕에 어디서 무슨 일을 하든지 최선을 다했고, 스스로 애써 터득했다. 부지불식간에 100년이 이렇게 흘러갔다.

내 한평생은 이렇듯 순식간에 지나갔고, 대단할 것도 없는데 뜻밖에도 많은 사람이 관심을 가져 주었다. 그리고 〈상업주간〉에서 한 인터뷰가 인연이 되어 이렇게 책을 출간하게 되었다. 처음에는 쓸만한 이야기가 없다며 거절했지만, 타이베이(臺北)에서 가오슝까지 나를 찾아온 위싱쥐안(余幸娟) 편집장의 성의에 감동했고, 곰곰이 생각해 보니 안 될 것도 없을 것 같아 내 일생의 경험을 나누고자 마음먹었다. 기억력이 좋은 편이라 지난 일을 떠올리고 정리하는 데 어려움은 없을 것이라는 생각도 결정에 도움을 주었다.

처음에는 계약 같은 것도 필요 없다고 생각했다. 나는 내 이야기를 하면 그만이고, 출판사에서는 가치가 있다는 판단이 서면 책을 내면 그만이라고 생각했던 것이다. 또 책이 나와 누군가 봐도 좋고, 보는 사람이 없어도 아무 상관 없었으며, 인세가 많든 적든 즐겁게 사는 데 영향을 미치지 않을 것 같아 전혀 신경 쓰지 않았다. 요 몇 년간 강의 요청을 받아도 강의료를 받지 않고 있었다.

그렇게 작업이 시작되었고, 봄부터 첫째 주와 둘째 주에는 팡야후이의 인터뷰가 이루어졌다. 엄숙하고 진지한 분위기에서 일하듯 인터뷰한 것이 아니라 자유로운 분위기에서 가볍게 과거의 이야기를 들려주듯이 이야기를 풀어 나갔다.

책을 어렵사리 완성하고 난 후 팡야후이는 책을 출간한 감상이 어떤지, 독자들로부터 어떤 반응을 기대하는지 물었다. 나는 웃으며 사실 거창한 감상은 없고, 내 일생의 경험을 나누고 싶다는 생각에 기억나는 한 많은 이야기를 풀어 놓으려고 노력했으며, 내 생각은 이미 글이 되었으니 감상은 독자들에게 물어야 할 것이라고 답했다.

한 가지 특별히 언급하고 싶은 것은 내가 학교에서 생활한 지 57년이 되었다는 것이다. 학교는 나의 집이며, 동료들의 관심과 보살핌을 받는 곳이었다. 뤄서우수(羅首庶), 진옌성(金延生), 쉐광주(薛光祖), 린칭장(林清江), 장서우산(張壽山), 황정후(黃正鵠), 다이자난(戴嘉南), 차이페이춘(蔡培村) 등 총 여덟 분의 총장과 동료 및 학생들의 보살핌에 감사드린다.

차례

5장 인생을 즐기는 마음

부록

1장

공부를 사랑하는 마음

2009년 11월, 백발이 성성한 나는 가오슝 시 시민학교에 개설된 '실버 블로그' 과정 수업에서 컴퓨터 앞에 앉아 내 블로그에 글을 올리고 있었다.

강사 후샹훙은 내가 입력해야 할 글자를 칠판에 한 획 한 획 정성 들여 천천히 써내려가고 있었다. 집중하고 있는 그의 모습을 볼 때마다 감동스럽기 그지없었다. 나는 서예의 필법에 따라 입력했는데, 필기인식기가 한자를 인식하지 못할 때가 많았다.

후샹훙은 고심 끝에 이렇게 말했다.
"자오 할아버지, 키보드로 입력해 보시는 게 어때요?"
"좋아요. 진작 배울 생각이었어요."

그때 내 나이 99세였다.

100세가 다 되어 컴퓨터를 배우다

오랜 동료가 컴퓨터를 배우러 가는 나를 보고 한마디 거들었다.
"곧 죽을 텐데 컴퓨터는 뭐하러 배우나?"
"하지만 나는 아직 죽지 않았네. 이렇게 살아 있지 않은가!"

2009년, 나는 난화 대학 철학과에서 석사 학위를 취득해 전국 최고령 석사가 되었고, 가오슝 시 정보교육협회 주임 정위메이(鄭玉梅)의 제의를 받아들여 실버 세대를 위해 개설한 '실버 블로그' 과정에서 컴퓨터를 배우기 시작했다.

블로그 '오악당'을 개설하다

나는 주음부호(중국어의 발음을 표기하는 것으로, 주로 타이완에서 사용된다_옮긴이)를 배운 적이 없고 영어도 모르기 때문에 첫 수업 날 정위메이는 특별히 나를 위해 필기인식기를 준비했다.

강사 후샹훙(胡翔閎)은 필기인식기를 설정할 때 나에게 연습 삼아 몇 글자를 써보게 했다. 나는 "조(趙), 전(錢), 손(孫), 이(李), 주(周), 오(吳), 정(鄭), 왕(王)……" 같은 글자들을 거침없이 써내려갔다. 그는 내가 아무렇게나 쓴 것이라 생각하다가, 주위 사람이 알려 준 후에야 《백가성》(百家姓, 성씨를 운에 맞춰 배열한 책으로, 서당에서 교재로 쓰인다_옮긴이)의 일부임을 깨닫고 감탄했다.

블로그 위주로 진행되는 수업인 만큼 후샹홍은 나에게 블로그를 개설하라고 했고, 나는 블로그 이름을 지을 때 필기인식기에 '惡惡堂' 세 글자를 써 넣었다. 그는 모니터의 글자를 보고 "악악당"이라고 읽으며 속으로 요즘 타이완 젊은이들 사이에서 인기가 높은 브랜드와 발음이 비슷한 걸 보니 유행에 뒤처지지 않는 할아버지구나 하고 생각했다.

"그게 아니에요. 오악당이라고 읽어야 해요."

나는 그의 발음을 교정해 주었다. 내가 어린 시절 공부한 사숙(私塾)의 이름이 바로 오악당이었다. 첫 글자는 '혐오하다'라는 뜻의 '오'이며, 두 번째 글자는 '선악'에서의 '악'이다. 오악당은 게으름과 간사함, 그리고 배움에 방해가 되는 나쁜 것들을 혐오하고, 성실하게 배우고 근면하게 책을 읽으며 죄악을 멀리한다는 뜻을 지니고 있다. 나에게 오악당은 영원한 그리움의 장소이자 마음의 거울이었으며, 나의 인생 신조였다.

첫 컴퓨터 수업에서 나는 컴퓨터로 이름을 쓸 수 있게 되었고, 오악당 블로그(http://user1234.pixnet.net/blog)의 주인이 되었다. 나는 블로그에 나 자신을 이렇게 소개했다.

"자오무허는 산둥 성 진샹 현(金鄉縣) 사람으로, 성격이 유순하고 화를 잘 내지 않으며, 남과 논쟁을 벌이지 않는다. 억지를 부리는 사람과 논쟁을 벌여 봤자 문제를 해결할 수 없으니 참는 길밖에 없다. 옛말에 '이치가 불분명하거늘 구태여 남과 논쟁을 벌일 필요가 있는가'라고 하지 않았던가? 한순간만 참고 넘기면 된다. 한 발 물러서면 그 어떤 것에도 얽매이지 않고 자유로워질 수 있다."

인터넷을 위해 영어를 배우다

후상훙은 노인이 컴퓨터를 배울 때 가장 먼저 극복해야 할 난관은 마우스 다루기라고 말했다.

"왼쪽 버튼과 오른쪽 버튼을 따로 누르는 게 여간 어려운 일이 아니에요. 보통 어르신들은 버튼 두 개를 동시에 누르죠."

나에게는 특히나 어려운 일이었다. 산둥 사람 특유의 굵은 골격에 손가락도 굵었기 때문이다.

어렵사리 마우스를 다룰 수 있게 되자 나는 입력이라는 큰 산에 맞닥뜨렸다. 이제 필기인식기 사용법은 익혔지만, 서예의 필법에 따라 쓰는 데 익숙해져 있다 보니, 어떤 부분은 힘을 주고 어떤 부분은 약하게 써서 인식이 잘 안 될 때가 종종 있었다. 나는 다른 사람들도 다들 키보드로 입력하니 나도 키보드를 써봐야겠다고 마음먹었다.

하지만 인터넷 주소, 아이디, 비밀번호를 입력하려면 영어 알파벳을 알아야 했다. 블로그 주소는 즐겨찾기에 넣어 두어서 쉽게 들어갈 수 있었지만, 로그인할 때는 스스로 아이디와 비밀번호를 입력해야 했다. 그러나 나는 영어를 배운 적이 없었다.

후상훙과 나는 머리를 맞대고 논의했고, 결국 나는 컴퓨터 공부와 영어 공부를 병행하기로 했다. 나는 중국어 발음을 이용한 독창적인 영어 표기법을 만들어 냈다. Y는 歪(와이), J는 皆以(제이), I는 靄(아이)로 표기하는 식이었다. 나는 붓으로 크게 쓴 알파벳표를 벽에 붙여 두고 미련스럽게 공부를 시작했다. 알파벳을 외우는 것은 어렵지 않았지만, 발음에는 상당히 애를 먹었다. 혀가 유연하게 움직이지 않아 Q 발음이 잘되지 않았고, N과 M의 구분이 어려웠다. 나는 이러한 한계를 있는 그대로 받아들이기로 했다. 나는 완벽함을 기해 스스로에게 스트레스를 주는 대신 즐겁게 배움에 매진했다.

연습을 위해서 나는 즐겨찾기에서 블로그를 삭제했다. 매번 인터넷 주소를 쳐 넣었는데, 이 모습을 본 후샹훙은 감탄을 금치 못했다.

"자오 할아버지는 뭘 배우든지 완벽하게 익히시네요."

살아만 있다면 공부하리라

내가 자판을 쉽게 익힐 수 있도록 후샹훙은 자판에 설명을 써 붙였다. 컨트롤 키에는 '제어', 스페이스 키에는 '공백 만들기', 엔터 키에는 '입력'이라고 붙이는 식이었다.

주음부호를 배운 적이 없었던 나를 위해 정위메이는 한자의 모양에 따라 입력하는 '창힐(倉詰) 입력법'을 가르쳤는데, 내가 가장 처음 인터넷 검색창에 쳐본 것은 내 이름이었다. 그러자 1만 2,000여 개의 자료가 쏟아져 나왔고, 나는 신기하고도 즐거운 마음에 하나하나 눌러 살펴보았다.

그는 또한 유튜브에서 영상 자료를 보여 주기도 했는데, 예전에 언론에서 인터뷰한 내 모습이 보이자 나는 인터넷의 매력에 푹 빠졌다. 그는 내가 연이어 경탄을 터뜨리자 "배우는 모습이 진지하면서도 귀여우시네요"라고 말했다.

나는 어린아이처럼 호기심 가득한 모습으로 새로운 것을 익혔고, 그때마다 정말 즐거웠다. 나는 인터넷 접수는 물론이고, 차표 예매와 인터넷 옥션도 배웠다. 귀가 어두운 나에게 전화로 접수하거나 차표를 예매하는 것은 무척이나 힘든 일이었다. 인터넷 덕분에 큰 편리를 누리게 된 것이다. 노인이 일상생활에서 다른 사람의 도움을 받는 것은 어찌 보면 당연한 일이지만, 나는 도움 받는 것을 싫어했다. 매번 다른 사람을 번거롭게 하느니 내가 조금 더 고생하는 게 낫다는 생각이었다. 나는 사람은 독립적이어야 자유롭고 편하게 살 수 있다고 생각했다.

오랜 동료가 컴퓨터를 배우러 가는 나를 보고 한마디 거들었다.

"곧 죽을 텐데 컴퓨터는 뭐하러 배우나?"

"하지만 나는 아직 죽지 않았네. 이렇게 살아 있지 않은가!"

살아만 있다면 배우리라는 마음가짐을 지닌 나는 아기 못지않은 왕성한 호기심과 지식에 대한 탐구 정신으로 뭇사람들이 탄복할 만큼 열심히 공부했다. '실버 블로그' 과정이 개설되었을 때 서른 명이던 수강생이 2주 후에는 스무 명이 되었고, 과정이 끝날 무렵에는 다섯 명으로 줄어들었는데, 가장 연장자였던 나는 끝까지 남은 다섯 명 중 한 명이었을 뿐 아니라 선생님보다 더 수업 시간을 잘 지키고, 지각이나 결석도 절대 하지 않는 모범생이었다.

출석부에 또박또박 이름을 써 넣는 나를 보고 정위메이는 "평생 배움을 실천하다니, 정말 모두의 모범이시네요"라며 감격스러워했다. 그 모습을 보고 나는 크게 웃으며 "사람은 늘 공부해야 합니다, 죽을 때까지!" 라고 말했다.

전국 최고령 석사

3년 정도 시험을 준비하는 다른 응시생들과 달리 나는 세 달가량 매진한 것이 전부였지만,
그래도 자신 있었다. 나는 얼마나 오래 준비하는지는 중요하지 않다고 생각했다.
관건은 머릿속으로 익히고 마음속으로 깨닫는 데 있다.
이렇게 하지 않으면 얼마를 준비하든 다 소용없다.

타이완 건국 100주년이 되는 2011년은 내가 100세를 맞이한 해이기도 하다. 일곱 살에 집에서 공부를 시작한 이후 해가 갈수록 배움에 대한 열정은 늘어만 갔다. 87세에 타이완 쿵중(空中) 대학 문화예술학과에 진학하기로 마음먹었지만, 나를 잘 아는 교수 친구들은 절대로 졸업할 수 없을 것이라며 찬물을 끼얹었다. 나는 서두르지 않고 7, 8년이 걸리더라도 계속 노력해 졸업하겠다고 다짐했지만, 교수 친구들은 단호하게 "만일 자네가 졸업하면 내가 무릎을 꿇겠네"라고 말했다.

실제로 대학 공부는 녹록지 않았고, 수업도 아주 많아 꽤 고생스러웠지만, 128학점을 따내어 딱 4년 만에 졸업할 수 있었다. 소식을 들은 기자들이 인터뷰를 위해 몰려들었으며, 신문에 대서특필되기도 했다.

그제야 교수 친구들은 "자네 정말 머리가 비상하구먼!"이라며 탄복했다.

나는 웃으며 말했다.

"자네들 말이야, 무릎을 꿇어야 하지 않겠나?"

사람은 외모로만 판단해서는 안 된다. 나는 겉보기에는 겸손하고 유하며 착실해 보이지만, 무슨 일이든 한번 시작하면 끝까지 해내고 마는 근성이 있다.

쿵중 대학을 졸업하고서야 숨 가쁘게 달려온 일정에서 벗어났다. 하지만 여유가 생기자 다시 학교로 돌아가 공부하고 싶은 마음이 생겨났다. 나는 지리적으로도 가깝고 과거의 직장 동료가 총장으로 있는 중산(中山) 대학 철학과에 입학하고 싶었다. 그러나 뜻밖에도 총장은 반대의 뜻을 내비쳤다.

"말도 안 되는 소리 하지 마세요. 지금 나이가 몇인데 또 시험을 본다는 겁니까? 텔레비전이니 신문이니 여기저기에 나오는 유명 인사가 되지 않았습니까? 저는 받아들일 수 없어요. 이제 좀 쉬세요."

격렬히 반대하는 총장을 보고 나는 잠시 계획을 접었지만, 마음속으로는 꼭 이루고 말 것이라고 굳게 다짐했다.

소년과 함께 시험장에 들다

어느 날 고향 지인의 집에 갔더니 그 집 아들이 전문학교를 졸업한 후 종일 집에서 컴퓨터만 해서 골머리를 앓고 있었다. 부자간에 취직 문제로 말다툼이 벌어졌고, 아이는 말대꾸를 하고는 문을 쾅 닫고 집을 나가 버렸다.

나중에 나는 아이에게 4년제 대학 시험을 보는 것이 어떠냐고 좋은 말로 타일렀다. 아이는 오히려 할아버지는 왜 시험을 보지 않느냐며 되물었고, 결국 나는 격려차 함께 시험을 보기로 약속했다. 아이가 대학 시험을 볼 때 나는 대학원 시험을 보기로 말이다. 그리고 아이에게 매일 한 시간만 컴퓨터를 하고, 나머지 시간에는 공부하겠다는 약속을 받아 냈다.

시험까지는 4개월여밖에 남지 않았을 때였다. 나는 매일 아이가 공부하는 것을 지켜보았다. 고향 지인은 놀라움을 감추지 못하며, 대체 무슨 수를 썼기에 아이가 이토록 착실해진 것이냐고 물었다. 나는 아이의 입장에서 생각했을 뿐이었다. 직언을 잘하는 나는 그의 고쳐야 할 점을 거침없이 지적했다.

"아들한테는 컴퓨터 하지 말라고 하면서 정작 자네는 밤늦도록 차나 마시며 노닥거리고 텔레비전이나 보지 않았나? 자네가 책을 봐야 아이도 보고 배울 것 아닌가!"

먼저 행동으로 모범을 보였던 과거의 어른들과 달리 지금의 부모는 말로만 가르치려 들 뿐 직접 모범을 보이지 않는다. 물론 말로 가르치는 것이 행동으로 보여 주는 것보다 쉽다. 하지만 그렇게 한다면 아이들이 어찌 진심으로 받아들일 수 있겠는가?

당시 나는 난화 대학 철학 연구소(현 철학 · 생명교육학 연구소)에서 청강생으로 수업을 들으며 솔선수범하고 있었고, 절대 해이해진 모습을 보이지 않았다. 심지어는 밤을 새워 가며 공부하기도 했다. 대학원에 진학하려면 중국철학과 서양철학이라는 양대 산맥을 정복해야 했다. 중국철학은 익숙했지만, 서양철학은 접한 적이 없어 더욱 열심히 준비해야 했다. 그렇지만 어렵다고 지레 겁먹고 포기하는 일은 절대 없었다. 나는 서양의 철학이지만 어차피 중국어 책으로 보는 것이니 어려울 것은 전혀 없다고 생각했다.

3년 정도 시험을 준비하는 다른 응시생들과 달리 나는 세 달가량 매진한 것이 전부였지만, 그래도 자신 있었다. 나는 얼마나 오래 준비하는지는 중요하지 않다고 생각했다. 관건은 머릿속으로 익히고 마음속으로 깨닫는 데 있다. 이렇게 하지 않으면 얼마를 준비하든 다 소용없다.

드디어 시험 결과가 발표되었다. 나는 난화 대학 철학 연구소에 합격했고, 고향 지인의 아이는 이서우(義守) 대학 건축학과에 합격했다. 나는 서양철학에서는 그리 높은 점수를 받지 못했지만, 《장자(莊子)》, 《맹자(孟子)》에서 좋은 점수를 받아 당당히 합격할 수 있었다. 역시 어릴 때 기초를 잘 다져 놓으면 언젠가 유용하게 활용할 수 있는 법이다.

3년 무결석

대학원 공부를 할 때 역시 격려해 주는 친구는 단 한 명도 없었다. 입학시험 전에는 어차피 떨어질 테니 차라리 시험을 보지 말라고 했고, 합격하고 나서는 졸업은 무리라고 했다. 이유는 모두 나이가 많다는 것이었다.

하지만 나의 마음은 쿵중 대학에서 공부할 때와 마찬가지였다. 나는 중도에 죽지 않는 한 포기하지 않고 노력하면 꼭 졸업할 수 있다고 생각했다. 나는 가벼운 마음으로 공부했고, 수업을 들을 때도 스트레스를 받지 않았다. 스트레스가 있다면 일찍 일어나야 한다는 것뿐이었다.

원래 내 생활 패턴은 밤 1~2시쯤 잠자리에 들어 오전 10시나 11시쯤 일어나는 것이었다. 하지만 대학원 공부를 시작하고 난 후 일주일에 세 번 수업이 있는 날이면 가오슝 시에서 자이 현(嘉義縣)에 있는 학교까지 가기 위해 새벽 5시에 일어나야 했다. 6시 30분에 기차를 타고 자이 다이린(嘉義大林) 역에 내려 다시 8시 20분에 학교 버스로 갈아타고 학교에 갔다.

아침에 일찍 일어나는 것이 몹시 힘들었지만, 나는 대학원 공부를 하는 3년 동안 결석 한 번 하지 않았으며, 수업 중에 조는 일도 없었다. 2년차 때는 자전거로 가오슝 기차역으로 가는 길에 교통사고를 당했지만, 절뚝거리며 수업에 참석했다. 걸음걸이가 이상하다고 생각한 천더허 교수가 사고를 당한 것을 눈치채고 어서 집에 가서 쉬라고 했지만, 나는 고집을 부리며 수업을 끝까지 들었다.

"그때가 그가 지각한 처음이자 마지막 날이었다."

천더허 교수는 진심으로 감탄을 금치 못했다.

석사 과정 반에는 동료가 열두 명 있었는데, 모두 대학을 갓 졸업한 20대 젊은이들이었다. 나이가 나의 4분의 1밖에 되지 않는 동료들은 나를 '자오 할아버지'라고 불렀다. 교수들조차도 나의 이름을 부르기가 조심스러워 학생들과 마찬가지로 할아버지라고 불렀다. 하지만 나는 내 나이의 절반밖에 되지 않는 교수를 늘 존대하며 '교수님'이라고 불렀다.

수업 중에는 이런 일도 있었다. 내 발표 차례가 돌아와서 여느 때처럼 일어서서 발표하고 있는데, 교단에서 발표문을 읽느라 발표자에게 주의를 기울이지 않고 있던 천더허 교수가 뒤늦게 서있는 나를 발견한 것이다. 그는 황급히 앉으라고 했지만, 나는 학생이 서서 발표하는 것은 당연하다며 계속 서서 발표했다. 그랬더니 그가 이런 농담을 던졌다.

"어르신께서 서서 발표하시는데 젊은이들은 무릎 꿇고 들어야 하는 것 아닌가요?"

젊은이들 사이에서 나 같은 노인은 당연히 눈에 띄었다. 하지만 천더허 교수는 내가 나이가 많다는 이유로 특혜를 받기를 원하지 않는다는 것을 잘 알고 있었고, 그런 점을 늘 존경스러워했다. 대학원 수업은 토론과 발표가 많아 모든 학생에게 발표 기회가 돌아가는데, 발표를 맡은 사람은 많은 자료를 준비해야 하고, 수업 중에도 적극적으로 주장을 펼쳐야 한다. 천더허 교수가 볼 때 나는 교수의 요구를 성심성의껏 다 받아들이는 학생이었다. 게다가 나중에는 컴퓨터와 중국어 입력법까지 배웠다. 그는 훗날 "공부에 대한 그의 열정에 아주 감동받았다"라고 말했다.

나는 몹시 애를 먹었던 영어 수업도 결코 포기하지 않았고, 개인적으로 영문과 학생에게 지도를 받기도 했다. 거기에 대학원 교수진의 훌륭한 지도가 더해져 나는 결국 졸업이라는 관문을 넘을 수 있었다.

젊은이들과 함께 기숙사 생활을

나는 늘 젊은 친구들과 어울리기를 원했고, 학생들도 내게 호의를 베풀어 주었다. 컴퓨터를 할 줄 몰랐던 나를 위해 학생들은 발표 때마다 내가 손으로 쓴 글을 입력하고 프린트해 주었다. 대학원 과정에서 내가 특히 어려워했던 것은 철학영어 과목이었는데, 이 또한 젊은 친구들이 영어를 중국어로 번역해 주어 한결 쉽게 공부할 수 있었다.

대학원 2년 차에 오토바이에 부딪히는 사고를 당한 나는 뼈에 손상을 입지는 않았지만 다리가 심하게 부어 목발을 짚어야 했다. 교수들은 휴학을 신청하라고 했지만, 나는 시간을 낭비하고 싶지 않았다. 다리는 불편했지만 머리와 눈, 손은 아무렇지도 않았기 때문에 공부에는 전혀 지장이 없었다. 나는 학교 측에서 임시로 기숙사에 들어가도록 배려해 주어 기숙사 생활을 시작하게 되었는데, 내 룸메이트는 공공행정 및 정책연구소의 천신량이었다.

천신량에게 나는 살아 있는 사전이자 역사였다. 나는 보통의 노인처럼 나이를 무기로 삼지 않았고, 그 덕분에 우리는 나이를 뛰어넘어 친구가 되었다. 우리는 자주 이야기를 나누었고, 하지 못할 이야기가 없을 정도였다. 우연히 〈대학생이세요(大學生了沒)〉나 〈내 사랑 헤이써방방탕(我愛黑澀棒棒堂)〉 같은 젊은이들이 나오는 예능 프로그램을 본 나는 도저히 이해할 수 없어 천신량에게 물었다.

"요즘 대학생들은 다 이런가?"

나는 그가 침대에서 뒹굴거리고 있으면 책상 앞에 끌어 앉혀 공부하게 만들었고, 컴퓨터로 게임을 하고 있으면 공부하라고 타일렀다. 그럴 때마다 천신량은 묵묵히 받아들였고, 적극적인 나를 볼 때마다 스스로 부끄러움을 느꼈다고 고백했다.

"자오 할아버지는 정말 강인한 노인이에요."

천신량이 보는 나의 가장 뛰어난 점은 나이가 많더라도 인생을 적극적이고 긍정적인 자세로 계획하고, 실행에 옮기며, 꾸준히 노력한다는 것이었다. 소극적이고 게으른 수많은 젊은이와는 정반대였다. 그는 이렇게 말했다.

"자오 할아버지는 젊은이들과 함께 지내면서 늘 머릿속을 업데이트했다. 그래서 끊임없이 주위 사람의 성장을 독려하는 힘이 솟아났다."

나는 논문 지도 교수를 정할 때 중국철학을 연구해 노장사상에 일가견이 있는 천더허 교수를 원했다. 그는 담당 학생 정원이 꽉 찬 상태였지만, 공부에 대한 나의 열정을 보고 나를 받아들이기로 했다.

논문을 쓰는 과정에서 나는 산둥 사람 특유의 강인함과 의지를 보여주었다. 천더허 교수는 학생들이 논문의 격식과 순서를 갖추길 바랐는데, 나는 교수의 요구를 엄격하게 지켰으며, 수정이 필요한 부분은 하나하나 고쳐 나갔다. 컴퓨터를 다룰 줄 몰랐지만 자료 수집 능력은 젊은이 못지않았으며, 창의력도 결코 뒤지지 않았다. 하지만 인생 경험은 젊은이들보다 풍부했다. 이에 대해 천더허 교수는 이렇게 말했다.

"이 장점은 결점을 보완하고도 남았지만, 그는 그것을 지나치게 과장하지 않았고, 전력으로 노력하는 모습을 보였다. 성과 면에서 결코 다른 학생에게 뒤지지 않았다."

조충체 서예가

나는 〈중국 서예 예술 정신 연구—조충체를 중심으로〉라는 논문으로 석사 학위를 받았다. 조충체(鳥蟲體, 새나 곤충의 형상을 한 글씨체_옮긴이)는 유년기에 한 공생(貢生, 명·청 시대에 1차 과거 시험에 합격한 사람_옮긴이)에게 배운 서체로, 기원을 더듬어 보면 은상(殷商) 시대까지 거슬러 올라간다. 지금은 거의 실전(失傳)된 상태지만, 나는 수십 년을 깊이 연구하며 결코 중도에 포기하지 않았다.

나는 논문에서 "조충체는 서예와 맥을 같이하는 중국 예술 문화로, 조충체의 아름다움은 기발함과 유연함, 필체의 역동성과 자연스러운 굴곡, 그리고 친화력에 있다"라고 말했다. 조충체는 '글자'지만 보기에는 붓 가는 대로 그린 그림 같다. 또한 나는 "서예는 사람의 감정을 표현할 수 있으며, 모든 서예 작품에는 사람의 상상이나 마음 상태가 드러나 있다"라고 주장했다. 최종 결론은 "좋은 작품은 공명을 일으켜 대중의 인정을 이끌어 내야만 진정한 기능을 발휘할 수 있다"였다.

글이 그 사람의 모습을 그대로 드러낸다고 했듯이 내가 써내려간 예술 작품은 나의 평소 모습과 행동거지를 그대로 재현한 듯했고, 스스로에 대한 기대도 묻어났다.

2009년 내가 98세라는 고령의 나이로 대학원을 졸업하는 날, 각지에서 모인 40여 명의 친구들이 졸업식에 참석했다. 내가 예전에 일한 가오슝 여자사범학교나 가오슝 사범대학에서 친분을 쌓은 친구들이었다. 난화 대학 측에서는 나를 위해 기네스북 기록 등재를 요청했고, 그것이 받아들여져 나는 최고령 석사 학위 소지자로 세계 기록을 세우게 되었다.

나는 각종 언론 매체에 대서특필되며 화제의 중심에 섰는데, 한 신문에서 제목을 '학사모를 고집하다'로 뽑은 것을 보고 매우 화가 났던 기억이 있다.

"백 살이 다 되었는데 아직도 학사모를 고집하겠는가? 내게 학위는 중요하지 않다. 연구하고 학문을 닦는 데 즐거움을 느낄 뿐이다."

나는 언제나 즐거운 마음으로 공부했기에 스트레스가 없었으며, 마음이 아주 가벼웠다. 나는 무언가를 하려면 독한 마음을 먹어야 하며, 결심하지 않으면 아무것도 이룰 수 없다고 생각했고, 이러한 나의 필사적인 모습에 함께 공부하던 젊은이들은 스스로를 돌아보고 자책했다. 내 논문이 통과되었을 때 룸메이트 천신량은 논문 제목조차 교수에게 제출하지 않은 상태였다. 그는 블로그에 "몸이 젊은 내가 한참 뒤떨어진다"라고 자책하는 글을 남겼다.

나는 노인들이 공부하지 않는 것은 나이가 많은 것을 부끄러워하거나 잘 배우지 못할까 봐 걱정이 앞서기 때문이라고 생각했다. 이처럼 스스로에게 한계를 두면 용기가 생겨나지 않는다. 나는 결코 나이가 많다고 해서 배울 필요가 없다고 생각하지 않았으며, 공부를 잘하고 못하고에 얽매이지 않았다. 나는 배우고 싶으면 배우고, 일단 배우기로 결심했으면 최선을 다하면 된다고 생각했다.

나는 평생 배움을 실천했으며, 오랫동안 교육 현장에 몸담았다. 나는 선비 집안에서 태어났고, 부모와 형이 모두 학문을 닦았다. 일곱 살 때 집에서 공부를 시작해 서른일곱에 피난을 가기까지 잠깐 초등학교에서 교사로 일한 것을 제외하면 계속 학문에 열중했다. 그 후 마흔에 타이완으로 피난을 와 약 3년간 군인 생활을 한 후 다시 교육 현장으로 돌아와 가오슝 여자사범학교와 가오슝 사범대학에서 일했다. 그리고 예순여섯 살이 되어서야 퇴직했다. 퇴직 후 배움에 대한 열정은 식을 줄 모르고 오히려 뜨겁게 달아올랐다.

나는 배움에 열의가 매우 강한데, 공부하는 것 자체가 즐겁고 공리적인 목적이 없었기 때문에 스트레스 없이 즐겁게 배울 수 있었으며, 자율적이기 때문에 스스로 꾸준히 노력하고 끝까지 철저히 파고들 수 있었다. 이러한 태도는 어린 시절에 받은 가정교육 덕택에 길러진 것이다. 무릇 천 리 길의 첫걸음은 가정에서부터 시작되는 법이다. 가정은 씨가 뿌려지는 밭과 같다.

내 인생 최초의 스승

어머니는 결점이 거의 없는 사람이자, 내 인생 최초의 스승이었다.
나는 100세를 넘긴 지금까지도 어머니의 말씀을 늘 마음속에 새기고 있다.

나는 1912년 7월 18일에 태어났다. 아버지는 자오둥위에(趙東嶽)고, 집안의 가장은 큰아버지 자오둥커(趙東科)였다. 두 형제의 집은 대문은 같지만 건물은 나뉘어 있는 저택으로, 고용인과 소작농까지 합하면 평소 스무 명 안팎의 사람이 함께 밥을 먹었다. 보리를 수확하는 여름, 가을에는 10여 명이 상주하며 일했다. 이렇게 큰 가정에서 지내면서도 늘 화목했고, 큰소리 한 번 난 적이 없었다.

사실 싸우려고 마음만 먹으면 싸울 일은 많았다. 집안 남자들이 대부분 부인을 여럿 두었기 때문이다. 자오둥커는 부인을 셋 두었는데, 첩으로 맞이한 것이 아니라 후처의 형태로 들였다. 아버지 역시 후처를 들였는데, 나는 둘째 부인인 리(李) 씨의 소생이다. 할아버지 자오윈라이(趙雲萊)

와 두 형도 마찬가지로 후처를 들여 내게는 할머니 둘과 큰어머니 셋, 어머니 둘, 큰형수 둘, 작은형수 둘이 있었으니, 그야말로 '계모 시대'가 아닐 수 없었다.

다들 계모는 심술궂고 악하다고 말하지만, 자오가의 계모들은 모두 예의 바르고 학식이 높았으며, 전형적인 계모의 면모를 절대 보이지 않았다. 큰부인의 아이에게는 예를 갖춰 대하고, 작은부인의 아이에게는 사랑을 아낌없이 주고 존중해 주었다. 어머니는 그중 가장 모범적이었다.

어머니의 언행이 평생 영향을 끼치다

어머니는 결점이 거의 없는 사람이자, 내 인생 최초의 스승이었다. 어머니의 영향은 아주 커서 나는 100세를 넘긴 지금까지도 어머니의 말씀을 늘 마음속에 새겨 두고 입에 달고 다닌다.

어머니는 청대 말에 어린 시절을 보냈는데, 그때는 돈이 있고 없고를 떠나서 여자는 대부분 교육의 기회를 갖지 못했다. 하지만 사상이 개방적인 선비 집안에서 자라난 어머니는 적지 않은 책을 읽고 공부할 수 있었다. 과묵했던 어머니는 양갓집 규수의 분위기를 풍겼으며, 겸손하고 온화한 마음으로 남을 대했다.

사실 나의 두 이복형은 어머니보다 겨우 두세 살 어렸지만, 일 처리가 공정하고 분수에 맞게 행동하는 어머니의 모습에 감명받고 깊이 존경했다. 심지어 아버지의 말보다 어머니의 말을 들으려고 했다.

나는 어머니로부터 주위 사람을 세심하게 돌보고, 융통성 있게 일을 처리하는 법을 배웠다. 특히 어느 여름, 집에 극단을 불러 보리 수확을 한 일이 아직도 나의 기억 속에 선명하게 남아 있다.

보리 알갱이가 바닥에 떨어져 버리면 수습하기가 힘들기 때문에 매년 여름이 되면 임시로 일꾼을 구해 수확에 박차를 가했는데, 자오가에서는 어느 해 '천하제일반'이라는 극단을 고용했다. 천하제일반은 원래 외할아버지인 리간칭(李幹淸)의 극단이었으나, 당시에는 다른 사람에게 넘어간 상태였다. 당시의 극단은 여름과 겨울, 두 계절에 휴식기에 들어가 공연을 하지 않았는데, 어쩌다 한 번씩 잠깐 일할 뿐 평소에는 일을 하지 않아 노동에 익숙지 않았고, 더군다나 농사일에는 서툴렀다. 안목이 없는 사람들은 이들을 고용했다가 곤욕을 치르기도 했다. 어머니는 나에게 담배 열 갑을 사오라고 시킨 후 보리밭의 극단 사람들에게 말했다.

"자네들 농사일은 안 해보지 않았나? 그늘에 가서 좀 쉬게나. 한 사람당 담배 한 갑씩 주겠네."

어차피 일을 제대로 하지 못할 테니 아예 쉬게 해서 일을 그르치지 않으려는 뜻이었던 것이다.

사실 외할아버지가 극단주였을 때 그들에게 먹을 것을 제공하고, 선생을 초빙해 경극을 가르쳐 주었으며, 공연을 해 돈을 벌어 식솔을 부양할 수 있게 해주었으니 큰 은혜를 베푼 셈이었지만, 어머니는 거기에 편승해 인정을 얻으려 하지 않고, 겸손한 자세로 일을 처리했다.

그러나 그들은 "우리는 전부 빈민 출신이라 어려서 농사일을 많이 해봤어요. 오늘 제대로 하지 않으면 어르신 뵐 면목이 없어요"라고 말하며 어머니를 안심시켰다. 이날 극단의 작업 성과는 눈부시게 뛰어났다. 어머니는 나에게 말했다.

"이 사람들을 못살게 굴면 안 된다. 사람 마음을 헤아릴 줄 아는 사람들이야."

나는 어머니의 곁에서 모든 과정을 지켜보았고, 일을 추진할 때는 사람을 고려해야 하며, 인정과 도리를 지켜야 한다는 깨달음을 얻었다.

어머니의 진보적인 생각과 사리분별 덕분에 자오가에는 고부 갈등도 없었다. 한번은 큰누이가 어머니에게 이렇게 말했다.

"어머니는 큰언니(자오무허의 이복형의 처를 일컫는다_옮긴이)가 뭐라고 하든지 군말 없이 따르면서 왜 제 말은 안 들어주시나요? 이거 차별 아닌가요?"

그러자 어머니는 웃으며 말했다.

"다 나중에 네가 잘되라고 그러는 거야. 큰아이에게 잘하는 건 자오가 사람이기 때문이고. 만약에 큰아이를 불편하게 했다 치자. 그랬다가 내가 죽고 나서 네가 친정에 왔을 때 큰아이가 널 거들떠보지도 않으면 어떡하니? 내가 죽고 나면 이 집 제사는 당연히 큰아이에게 돌아가는 거야. 누구도 넘볼 수 없어."

이 말을 듣고 모두 어머니의 깊은 속을 헤아릴 수 있었고, 큰누이 역시 이치에 닿는 말이라 쉬이 수긍했다.

훗날 자오둥커 형제가 분가했는데, 큰형수가 시집온 지 3년도 채 되지 않았을 때였지만 어머니는 군말 없이 그녀에게 안주인의 자리를 맡기고 간여하지 않았다.

큰어머니는 어머니를 칭찬했다.

"정말 현명하구나."

그러자 어머니는 이렇게 답했다.

"제가 현명한 게 아니라 큰아이가 제가 신경 쓸 일 없도록 집을 잘 다스리는 거죠."

시어머니가 간섭하지 않는데 어찌 고부 갈등이 생기겠는가?

작은형수인 첸진(千金)은 마음대로 되지 않는 일이 있으면 눈물을 펑펑 쏟곤 했는데, 어머니는 화를 내기는커녕 친정으로 가서 쉬고 오게 했다. 그리고 둘째 형을 함께 보내 친정에서 잘못을 저질러서 쫓겨난 것으로 오해하지 않도록 배려해 주었다.

주위를 둘러보면 하루 종일 며느리에게 손가락질하고 욕하는 시어머니가 허다하고, 고부간에 사이가 틀어져서 등을 돌린 경우가 너무도 많았다. 우리 어머니처럼 사리에 밝고, 험한 말을 내뱉거나 얼굴 찡그리지 않는 사람은 정말 찾아보기 힘들었다.

어머니는 일을 냉정하게 처리했으며, 변고가 닥쳐도 우왕좌왕하지 않았다. 내가 열다섯 살이 되었을 때 네 살배기 동생이 요절했다. 큰형이 좋은 관을 마련했는데, 어머니는 슬픔에 잠겼지만 분별을 잃지는 않았다. 어머니는 어린아이가 이렇게 좋은 관을 쓸 수는 없다며 멍석으로 한 번 말면 충분하다고 했다.

그때 나는 아직 어린 나이라 어른들이 일을 처리하는 모습은 볼 수 있었지만 간여할 여지는 없었다. 하지만 마음속으로 네 살짜리 아이에게 그렇게 좋은 관을 쓰는 것은 맞지 않는다고 생각하고 있었다.

큰형은 멍석은 너무 초라하다며 얇은 나무판자로 된 상자를 사왔다. 원래 구입했던 관에 비하면 10분의 1밖에 안 되는 싼 가격이었다. 이미 사버린 관은 무를 수가 없었는데, 어머니는 사당에 보관해 두었다가 훗날 자신을 위해 쓰겠다고 했다. 마을 사람들은 이 이야기를 듣고 어머니의 지혜로움을 크게 칭송했다.

어머니는 좋은 가문에서 자랐지만 작은형수처럼 사치스럽지 않았고, 가난한 사람들을 잘 돌봐 주었다. 그 시대에는 첩이 많았는데, 외가에도 외할아버지의 첩이 있었다. 사람들은 그녀를 '본채 마님'이라고만 불렀다. 본부인 소생의 딸도 어머니라고 부르지 않았다. 내가 일곱 살쯤 되었을 때 어머니는 이모들을 탓하며 나에게 '할머니'라고 불러야 한다고 타일렀다.

외할아버지가 돌아가신 후 첩의 손자들은 합장하고 싶어 했지만, 이모들은 반대했다. 나중에 아들 내외와 손자, 며느리들이 모두 무릎을 꿇고 큰이모에게 애원했지만, 들어주지 않았다. 어머니는 차마 지켜보고 있을 수만은 없어서 같이 사정했고, 그제야 큰이모는 마지못해 허락해 주었다.

어머니는 계급의식이 전혀 없었고, 남을 무시하지 않았다. 어머니는 늘 "부자가 뭐 그리 대단하니? 네가 돈이 많다 해도 다른 사람이 너한테 빚진 것도 아닌데 무슨 근거로 남을 무시하는 거니?"라며 꾸짖었다. 어머니는 말로써 가르침을 주었을 뿐 아니라 행동으로도 모범을 보였다. 마을의 빈민이 아기를 낳으면 꼭 산모에게 좋은 흑설탕이나 계란을 보냈다.

나는 둘째 고모를 통해 어머니의 이야기를 전해 들었다. 어머니가 시집올 때 칠이 아주 고운 큰 교자상을 가지고 왔는데, 결혼한 지 채 한 달이 못 되어 밥하는 일꾼이 주전자의 뜨거운 물을 상에 쏟아 버려 칠 색깔

이 다 변하고 말았다. 일꾼은 자신의 큰 실수에 넋이 나가 버렸는데, 어머니는 화상을 입지는 않았는지 걱정하기 바빴다.

"괜찮네. 물건이란 다 망가지게 되어 있으니까."

그러자 둘째 고모가 한마디 했다.

"다른 사람이었다면 사단이 났을 텐데……."

한번은 가오(高) 아주머니가 자오가에서 잠시 신세진 적이 있었다. 아주머니의 아들이 미장이라 겨울에는 일이 없어서 며느리가 구걸해야 할 정도로 사정이 좋지 않았기 때문이다. 그들은 연말에도 고기 한 점 먹지 못했다. 겨울이 오면 자오가에서는 쇠고기를 냉동해 두고 끓여 먹곤 했는데, 매번 쇠고기를 끓일 때면 나이가 어린 내가 가오 아주머니에게 한 사발 가져다 드리곤 했다. 훗날 가오 아주머니 내외는 무덤 관리 일을 맡게 되었는데, 자오가에서는 그들이 이사 나갈 때 마차와 사람을 보내 바래다주었고, 이후에도 자주 관심을 기울이고 도움을 주었다.

예닐곱 살 무렵 나는 집 근처의 사당에서 자주 놀았다. 그곳에는 거지들이 모여 있었는데, 대부분은 다리나 팔이 없는 장애를 갖고 있었다. 그중에는 우얼(吳二)이라는 사람이 있었는데, 다른 사람들은 그냥 아저씨라고 불렀지만 나는 이름을 넣어 '우 아저씨'라고 불러 그를 기쁘게 했다. 우얼은 가끔 구걸로 좋은 먹을거리를 얻으면 나에게 가져다주었다. 나는 먹기가 꺼려졌지만, 그를 실망시키고 싶지 않아 주머니에 넣은 뒤 집에 가서 버렸다.

어머니는 나에게 거지들은 팔자가 사나워 다른 사람보다 못사는 것뿐이라고 일러 주었다. 그래서 나는 귀천의식이 없었으며, 거지와 노는 것이 나쁘다고 생각하지도 않았다.

나는 커서 술자리에 갈 일이 있을 때 가정 형편이 안 좋은 동료가 있다는 것을 사전에 알면 새 옷 입을 엄두가 안 나 헌 옷 중에서 깨끗한 것을 골라 입고 나갔다. 가족은 나의 이런 마음을 몰랐기에 "사준 새 옷 왜 안 입니? 아까운 거야?"라고 묻곤 했다.

나는 어린 시절부터 어머니의 영향으로 남을 생각하는 마음을 늘 품고 있었기 때문에 나중에 학교에서 일할 때도 일꾼들을 '왕 씨', '장 씨'가 아니라 '왕 선생님', '장 선생님'이라고 불렀다. 나는 어차피 다들 나랏밥 먹는 사람들이며, 지위가 조금 낮을 뿐 분수를 지키며 직분에 최선을 다하는 사람들이니 마땅히 존중해야 한다고 생각했다.

1948년 내가 집을 떠날 때, 어머니는 집을 나가면 고생을 알아야 한다며 당부의 말을 건넸다.

"사람이 감당하지 못할 복도 없고, 감당하지 못할 고생도 없다. 부디 남의 것을 탐내지 말고 부러워하지도 마라. 어딜 가든 잘난 체하지 말고 겸손하게 머리를 숙여라. 그저 굶지만 않으면 그만이니 모든 것을 자연스러운 흐름에 맡겨라."

이별을 앞두고 한 어머니의 말이 내게 평생의 격언이 되었다. 나는 이를 평생 잊지 않으며 나침반 삼아 늘 되새겼다.

인정이 두터운 큰아버지

나의 두 번째 스승은 큰아버지인 자오둥커다. 자오가 30여 명이 큰 마찰 없이 지낼 수 있었던 것은 일찍이 그가 선전포고를 하고 나섰기 때문이다.

"불쾌한 일이나 응어리가 있으면 담아 두지 말고 빨리 말해서 해결해라. 꿍하고 담아 두면 병이 될 뿐이다. 옛말에 가화만사성이라고 했다. 우리 집에는 어두운 분위기란 절대 있어서는 안 된다."

큰아버지는 엄격하지만 가혹하지 않은 집안의 규칙을 세웠다. 누구라도 지킬 수 있으며, 반드시 지켜야 하는 규칙이었다. 집에 일꾼들이 있어 손만 뻗으면 차를 마실 수 있고 입만 벌리면 밥을 먹을 수 있었지만, 큰아버지는 아이들에게 근면 성실하고 검약하는 습관을 길러 주기 위해 아침 일찍 일어나 집 안을 청소하게 했다. 또한 농가의 자녀가 농사를 몰라서는 안 된다며 논밭을 남에게 빌려 줄 때 일부분을 남겨 두고 집에서 직접 경작하도록 했다. 농번기가 되면 아이들은 논밭에 나가 일손을 거들며 농사일을 익혔으며, 그를 통해 성실함도 몸에 배게 되었다.

한마디로 큰아버지는 남에게는 후하고, 자신에게는 엄격했다. 그는 남에게 돈을 쓰는 것은 전혀 아까워하지 않았지만, 자신을 위해 쓰는 것은 아까워했다. 자기 자신에게는 엄격하면서 남에게는 절대 실망을 안겨 주지 않았으며, 남에게 언성을 높여 가며 성질을 부린 적이 없었다. 그래서 집안의 일꾼들은 그를 '좋은 어르신'이라고 불렀다.

큰아버지의 누나는 가세가 기우는 바람에, 누이동생은 일찍이 배우자를 여의어 각각 자식들을 데리고 집에 들어오게 되었는데, 그는 두 팔 벌려 크게 환영했다. 누이동생에게는 전답이 있어 경제적으로 어렵지 않았지만, 큰아버지는 혼자 생계를 꾸리지 말라고, 오빠가 누이동생을 챙기지 않으면 남들이 비웃는다고 말하며 집으로 불러들였다. 훗날 누이동생이 병으로 숨을 거두자 큰아버지는 후사를 돌보고, 아직 묘비도 못 세운 처남과 합장해 주었다.

그 밖에도 큰아버지의 딸이 남편이 집에 없는 관계로 아이를 데리고 친정으로 들어왔고, 조카가 일찍 세상을 뜨는 바람에 딸아이를 자오가에서 데려다 키웠다. 이래저래 다 헤아려 보면 군식구가 일곱 명 정도 있었는데, 그들 모두 며칠 정도 데리고 있었던 것이 아니라 10년 이상을 함께 했다. 당시의 사회는 보편적으로 '혼인한 여자는 출가외인'이라는 인식이 있어서 큰아버지처럼 하는 것은 결코 쉽지 않은 일이었다.

1938년, 일본이 대대적으로 중국 침략에 나섰고, 대홍수가 발생했으며, 곳곳에서 도적이 들끓어 부잣집을 노렸다. 큰아버지는 대혼란이 시작되었음을 감지하고, 대가족은 남의 눈에 띄기 쉬우니 분가하자고 제안했다. 관습에 따라 분가는 집안의 어른이 주관하고, 재산은 둘로 나눠 제비를 만든 후에 조상께 예를 올린 후 제비를 뽑아 결정하기로 했다.

제비를 뽑기 전에 큰아버지는 아버지에게 먼저 뽑으라고 양보했고, 아버지 또한 형에게 양보했다. 이를 주관한 집안의 어른은 서로 양보하는 모습을 보면서 조상님께 결정을 맡기라고 했다. 결국 큰아버지는 농사일에 서투른 동생을 위해 경험이 많은 머슴들을 양보했다.

사실 큰아버지는 다년간 집안을 다스리면서 적지 않은 재산과 땅을 사들였지만, 아버지는 어려서부터 공부하고 가르치기만 해 일을 전혀 할 줄 몰랐고, 도리만 따를 뿐 권리를 주장할 줄 몰랐다. 그러나 큰아버지는 대범하게 양보했고, 덕분에 겸손하고 우애로운 일면을 엿볼 수 있었다.

큰아버지는 가깝고 멀고, 남이고 가족이고를 떠나서 누구에게나 잘해 주었다. 자오가에서 일하는 한 머슴의 아버지가 설날 즈음에 노름으로 가산을 탕진해 버린 적이 있는데, 사실을 안 큰아버지는 아무 말 없이 다시 양식과 돈을 머슴에게 주면서 다시는 아비에게 주지 말라고 당부했다.

훗날 그 아버지는 곡식을 다섯 되 더 받을 수 있다는 이유로 아들을 다른 곳으로 보내려 했다. 아들은 자오가에서 일할 때의 여러 좋은 점을 떠올렸다. 잘 먹고 잘 입을 수 있는 것은 물론이고, 낮에 일이 끝나면 밤에는 공부할 수도 있었다. 둘째 마님은 담배를 피울 때면 자신에게도 건네주었다. 그는 자오가에서 자신에게 두터운 정과 은혜를 베풀어 주는 만큼 그곳에 남기로 결정했다.

"그까짓 보리 다섯 되가 뭐라고……. 열 되라도 절대 안 가요!"

한번은 내가 사촌 형과 함께 소작료를 걷으러 갔는데, 소작농이 연로하고 병들어 있어 마음이 무척 아팠다. 그래서 몸조리 잘하라고 한 후 소작료는 걱정하지 말라고 했다. 집으로 돌아온 우리에게 소작농의 상황에 대해 들은 큰아버지는 앞으로 소작농에게 소작료를 걷지 않기로 결정했다.

"1년을 꼬박 일해야 배불리 먹을 수 있는 그들은 우리에게 의지해 먹고 살아간다. 그런데 어찌 그들의 노동력으로 배를 채울 수 있겠는가?"

내 기억 속의 큰아버지는 과묵했으며, 특별히 머리가 뛰어난 것 같지는 않았지만 모두의 존경을 받았다. 그 비결은 《논어(論語)》의 구절처럼 '멀리서 보면 근엄하고 가까이서 보면 온화한' 데 있었다. 큰아버지는 똑똑하고, 유능하고, 인정이 두터우며, 모든 일을 경중에 따라 합리적으로 처리하는 능력 있는 사람이었다.

가산을 탕진했지만 기개 있는 외할아버지

나의 세 번째 스승은 외할아버지인 리간칭으로, 그는 복잡하면서도 흥미로운 인물이다. 외할아버지는 무과(武科) 수재(秀才)로 학식이 뛰어났다. 하지만 한편으로는 친구를 좋아했고, 선한 무리와 악의 무리 모두에게 환영받았으며, 평생을 먹고 마시며 즐기면서 살았다.

외할아버지는 천하제일반의 극단주였는데, 당시로서는 매우 영예로운 지위였고, 신분의 상징이었다. 당시의 규정에 따르면, 극단주는 비용을 지불해 선생을 초청하고, 무대 의상을 제작하며, 극단의 식주(食住)를 해결하고, 모든 것을 책임져야 했다. 6월, 12월에는 공연을 쉬었지만, 그래도 극단주는 극단의 생계를 돌봐야 했다. 하지만 공연으로 벌어들인 수입을 외할아버지는 한 푼도 갖지 않았다.

당시 극단이 농촌으로 내려가 공연을 하면 배우를 다른 사람에게 빼앗기는 경우도 있었다. 한번은 지역 유지가 천하제일반의 여배우 한 명을 데려가 돌려보내지 않았다. 이를 수치로 여긴 외할아버지는 땅을 판 돈으로 관아에 고발하고 인맥을 동원해 결국 여배우를 다시 데려왔다.

나는 세 살 때의 기억도 생생한데, 이 뛰어난 기억력은 분명 외할아버지에게 물려받은 것이라 생각된다. 외할아버지는 기억력이 비상했다. 《삼국연의(三國演義)》도 달달 외울 정도였다. 한번은 모두 앞에서 암송했는데, 하루 하고도 반나절이 걸리는 긴 분량을 단 한 글자도 틀리지 않아 모두의 귀를 의심케 했다.

하지만 외할아버지의 무절제함은 결국 비극을 낳았다. 18갑(甲, 넓이의 단위로, 1갑은 0.97헥타르에 해당한다_옮긴이)의 전답으로 스무 명을 먹여 살리는 데 전혀 문제가 없었지만, 조금씩 팔아넘기면서 패가망신하고 만 것이다. 외할머니는 친정에 가서 울며 사정했고, 오빠들은 10갑의 전답을 내주었다. 그러나 외할아버지는 수확기를 얼마 남겨 두지 않은 4월에 그 전답을 또 팔아 버렸다. 슬픔과 분노에 뒤섞인 외할머니는 목을 매어 스스로 목숨을 끊었다. 외할머니가 세상을 떠났을 때 겨우 일곱 살이던 어머니는 삼촌과 숙모들 손에 이끌려 집을 나왔다. 이렇게 한 가정은 산산조각이 났다.

외할아버지에 대한 평가는 엇갈리지만, 기개가 높은 것만은 사실이었다. 일찍이 온갖 부류의 사람들과 친분을 맺었던 외할아버지는 비적 떼와 결탁했다며 비적 토벌대 대장에게 무고를 당해 감옥에 끌려가 온갖 고초를 겪기도 했다. 하지만 "고문은 타인이 가하는 것이지만 몸은 내 것이다"라고 말하며 한사코 죄를 부인했다. 자백을 받지 못하자 토벌대 대장은 결국 외할아버지를 풀어 주었다.

외할아버지는 비적 토벌대 대장을 고발하려 했고, 외할아버지가 절대 호락호락 넘어가지는 않을 것임을 안 대장은 외할아버지의 어머니를 수양어머니로 삼고 귀중한 선물을 보내 간신히 풍파를 잠재웠다.

외할아버지는 노년에는 아편 중독에 빠져 가산을 모두 탕진했다. 하지만 '부자는 망해도 3년을 간다'라는 말이 있듯 진샹 현에서는 귀한 박달나무 이륜마차를 여전히 소유하고 있었다. 가치가 아주 높아 줄곧 팔지 않고 있었던 것이다. 어느 날 한 친척이 이륜마차를 팔라고 하자 외할아버지는 얼굴을 붉히며 단호하게 "더 궁핍해질지언정 절대로 안 팔아!"라며 고함을 질렀다. 그러고는 도끼로 내려찍어 차를 부숴 버렸다.

외할아버지의 파란만장한 일생은 나에게 반면교사로서 경각심을 일깨워 주었다. 그러는 동시에 나는 늘 마음속에 높은 기개에 대한 동경을 품게 되었고, 외할아버지의 간접적인 영향으로 남에게 기대지 않는 처세의 원칙을 지켜 나갔다. 나는 최소한 '빈천해도 뜻을 바꾸지 않고 권세와 무력에 굴복하지 않는다'라는 원칙은 외할아버지가 지켜 냈다고 생각한다.

계속되는 공부

동란에도 자오가의 아이들은 매일 아침 6시에 일어나 공부를 시작해 날이 어두워질 때까지 배움을 게을리하지 않았다. 사흘을 배우고 하루를 복습하며 단 하루도 쉬지 않았다.

나의 계몽 교육은 집 안의 서당에서 시작되었다. 자오가에는 서당으로 쓰이는 공간이 두 곳 있었는데, 책상을 여섯 개가량 놓을 수 있었다. 아버지는 루난(路南)의 서당에서 단계별로 수학했고, 사촌 형은 루베이(路北)의 서당에서 계몽사상을 공부했다. 열 명이 넘는 학생들은 집안 아이들이거나 외부에서 온 학생들이었다. 수업료는 받지 않았으며, 대신 학생들은 명절 때 약간의 성의 표시를 했다.

자오가의 아이들은 매일 아침 6시에 일어나 공부하고 8시가 되어서야 아침을 먹었다. 그러고는 다시 점심을 먹기 전까지 공부했고, 점심을 먹은 후 잠시 쉬고 다시 공부를 시작해 주위가 어두워져 글자가 보이지 않을 때까지 계속했다. 사흘을 배우고 하루를 복습하며 단 하루도 쉬지 않았다.

서당 공부와 계몽 교육

공부는 모두 고서를 가지고 했다. 일곱 살 때부터《백가성》,《삼자경(三字經)》,《천자문(千字文)》을 배우기 시작했고, 그 이후에는《논어》,《맹자(孟子)》,《대학(大學)》,《중용(中庸)》 등으로 공부를 이어 갔다. 나는 기억력이 비상해 일주일 만에《대학》을 달달 외웠고, 2년 만에《논어》,《맹자》,《중용》을 포함한 사서(四書)를 막힘없이 줄줄 외우게 되었다.

사서를 익힌 후에는 글짓기를 시작했는데, 기승전결 4단으로, 1단을 배우고 나면 2단을 더하고 다시 3단을 더했으며, 4단까지의 글이 매끄러우면 한 편의 글이 되는 식이었다. 과거가 있던 시대에는 이런 식으로 글을 써야 과거에 합격할 수 있었다.

내가 어린 시절에는 초등학교 교육이 없었으며, 1928년에야 진샹 현에 첫 초등학교가 건립되었다. 현 내에 초등학교가 하나밖에 없어서 나는 집을 떠나 공부할 수밖에 없었다. 가족들은 군벌의 횡행으로 시국이 어지러우니 집에 있어야 안전하다는 결론을 내렸지만, 어머니는 홀로 다른 주장을 펼쳤다.

"지금 공부하지 않으면 언제 한단 말인가요? 평화가 언제 찾아올 줄 알고 그걸 기다리라는 거예요?"

어머니의 지지로 다행히 나는 난세에도 꿋꿋이 정규 교육을 마칠 수 있었다.

이미 머릿속은 책으로 가득했지만, 나는《소학(小學)》부터 다시 공부를 시작했다. 《소학》은 백화문(白話文, 중국어의 구어체를 글로 표현한 것_옮긴이)으로 되어 있었는데, 문어문에 비해 가벼워 내가 읽기에 아무런 문제가 없었지만, 글씨를 쓰는 것은 녹록지 않았다. 그러나 나는 당시 글 한 편을 쓸 수 있는 실력이 있었다. 흥미롭게도 당시 고서를 공부하는 학생들의 국어 실력이 학교 선생님을 능가해 선생님이 오히려 학생에게 시에 대해 묻는 일이 빈번했다.

당시의 초등학교 학제는 3학년까지는 초등 소(小), 4 · 5학년은 고등 소로 나뉘어 있었는데, 나는 월반해 초등 소 과정과 고등 소 과정을 각각 1년 반 만에 마쳤다. 고등 소 과정을 졸업한 후 계속해서 간이사범 과정을 공부했고, 그 역시 4년 과정을 3년 만에 마쳤다.

심산유곡에 울려 퍼지는 책 읽는 소리

1937년, 노구교 사건(중일전쟁의 발단이 된 양국 군대의 충돌 사건_옮긴이)이 발생하고 일본은 본격적으로 중국 침략에 나섰다. 일본군이 산둥을 점령했을 때 나는 간이사범학교를 졸업한 상태였지만, 가르칠 수 있는 책도 없었고, 사숙에서 공부를 계속하고 싶었다. 나는 나의 수준에 따라 횡학(黌學, 과거 시험 중 하나인 수재를 통과한 사람이 대과를 준비하기 위해 들어가는 사숙_옮긴이)에 들어가야 했다.

당시 횡학은 깊은 산속에 있었는데, 먹고 자는 비용에 스승에게 사례금까지 내야 해서 비용이 상당히 많이 들었다. 1년 학비가 두 사람의 생활비에 달했다. 어머니는 두 형과 형수와 함께 이 문제에 대해 상의했는데, 그 누구도 반대하지 않았다. 하지만 어머니는 이 돈을 내가 나중에 분가할 때 받을 재산에서 미리 받아 가는 것으로 하겠다고 분명히 밝혔다. 사실 두 형은 어려서부터 나를 아끼고 사랑해 돈 문제로 까다롭게 굴 생각이 없었지만, 어머니가 세심하게 배려해 준 것이었다.

나는 그렇게 배움을 이어 갔다. 수재에 명스승인 저우즈수(周志淑)가 일본의 침략으로 시골로 내려가자 스무 명에 달하는 학생들이 그를 따라 갔는데, 나도 그중 하나였다.

횡학에서는 매일 시간표에 따라 수업이 진행되었는데, 아침 6시에 기상해 자유롭게 공부하고, 8시에 아침을 먹은 후 학당으로 가 사서오경 수업을 듣는다. 11시부터는 붓글씨를 쓰고, 한 시간 후에 점심을 먹는다. 그다음에는 다시 학당으로 돌아가 자유롭게 공부하고, 5시에 스승이 지명하는 학생이 그날 오전에 배운 내용을 읊은 후에 저녁을 먹는다. 저녁 식사 후에는 잠시 휴식 시간을 가진 후 다시 학당으로 돌아가 7시부터 10시 반까지 공부한다. 나는 이렇게 5년간 저우즈수의 가르침을 받았다. 저우즈수가 피난하여 거처를 옮기면 따라가면서 공부는 1941년 가을까지 이어졌다.

외부 세계는 민주 시대를 맞이하고 한편으로는 일본의 침략으로 대혼돈에 빠졌지만, 나를 비롯해 횡학에 머무른 사람들은 공부하고 싶은 것을 공부하며 봉건 시대의 옛 학문에 빠져 지내느라 세상의 변화를 실감하지 못했다.

나는 '위태로운 나라에는 들어가지 않으며, 정치가 어지러운 나라에는 머무르지 않는다'라는 스승의 말씀을 늘 가슴에 품고 살았다. 나는 우리같이 착실하고 문약한 서생들은 혼란이 생기면 일찍 피하는 수밖에 없으며, 만일 피하지 못한다면 최소한 책 속의 평화로운 세상에 들어가 잠시 세속의 번민을 잊는 수밖에 없다고 생각했다.

끝까지 공부를 놓지 않다

나는 어려서부터 차분하고 과묵했다. 하지만 주위 사람이 무언가를 할 때면
주의 깊게 관찰했으며, 어른의 본보기대로 일을 처리했다.
그렇게 일상생활에서 점차 처세의 지혜를 익혀 갔다.

내가 여섯 살 때 사촌 여동생이 집에 놀러 왔는데, 외조카와 나이가 엇비슷했다. 사촌 여동생은 새 옷을 외조카에게 입혀 보려 했는데, 외조카는 고집을 부리며 입지 않으려 했다. 그러자 사촌 여동생은 화가 나 외조카를 때리기 시작했다. 나는 사촌 여동생을 진정시키며 어차피 둘의 체격이 비슷하니 내가 입겠다고 말했다.

작은어머니는 이 모습을 보더니 "정말 총명한 아이로구나. 둘이 나이 차이가 얼마 안 나는데도 행동거지가 이렇게 다르다니……"라며 감탄했다.

확실히 나는 조숙했다. 나는 세 살 때의 기억이 남아 있는데, 그때부터 아주 차분하고 과묵했다. 하지만 주위 사람이 무언가를 할 때면 주의 깊게 관찰했으며, 어른의 본보기대로 일을 처리했다. 그렇게 일상생활에서 점차 처세의 지혜를 익혀 갔다.

영특함으로 위기를 모면하다

내가 일곱 살이 되던 겨울, 둘째 사촌 형과 한 소작농의 집에 소작료를 걷으러 갔다. 그 집은 10리(거리의 단위로, 1리는 약 0.393킬로미터에 해당한다_옮긴이) 정도 떨어져 있었는데, 도중에 작은 마을을 제외하고는 집이 없어서 해가 지고 나면 인적이 드물었다.

집을 떠나 3리 정도 걸었을 때, 저 멀리에서 한 사람이 다가오는 것이 보였다. 나는 곧바로 둘째 사촌 형에게 오른쪽의 작은 길로 빠지자고 말했다. 상황을 파악하지 못한 둘째 사촌 형은 그냥 사람 한 명 다가오는 것뿐인데 내가 왜 그러는지 이해하지 못했다. 나는 계속 다른 길로 가자고 재촉했고, 다행히도 옆길로 빠져나올 수 있었다. 간신히 가장 가까운 마을에 도착했을 때 나는 사실을 말해 주었다. 조금 전에 마주친 사람은 늘 총을 손에서 놓지 않는 강도떼 두목이며, 다행히도 내가 몇 년 전에 본 적이 있어서 얼굴을 기억하고 있었던 것이다. 하마터면 강도와 맞닥뜨릴 뻔한 위험한 순간이었다.

집으로 돌아온 후 소식을 들은 큰아버지가 나를 칭찬했다.

"말주변이 없고 순한 모습과는 다르게 아주 영특하구나. 몇 년 전에 본 사람 얼굴도 다 기억하다니……."

궁하면 통한다

내가 열다섯 살 때 집에서 튼실한 노새를 키웠는데, 힘이 세고 말을 잘 들으며 키우기가 쉬워 내다 팔면 당나귀의 두세 배 값은 받을 수 있었다. 나와 큰형은 노새를 팔러 양산 진(羊山鎮)으로 갔다.

오전에 노새가 팔리지 않자 점심 무렵 나와 큰형은 노새를 여관의 정원에 묶어 두고 산에 올라 화원으로 갔다. 그런데 산에서 내려와 보니 노새가 여관 주인의 약지를 물어 한 마디가량을 끊어 놓은 것이 아닌가? 여관의 일꾼은 변상하라며 깜짝 놀랄 액수의 변상금을 제시했다.

위기에 처한 나는 사촌 누나 한 명이 양산 진에서 여관을 열었다는 어머니의 말을 떠올렸다. 한 번도 본 적은 없지만, 사촌 누나를 찾아 도움을 요청하면 변상금을 조금이라도 줄일 수 있을 것이라고 생각했다. 그래서 여기저기 찾아보았는데, 놀랍게도 바로 그곳이 사촌 누나의 여관이었다.

사촌 누나는 죽 외가에서 자라 아버지 쪽의 친척을 한 번도 보지 못했던 터라 감격의 눈물까지 흘렸다. 사촌 누나는 우리를 정성껏 대접해 주었고, 노새가 손가락을 문 일도 자연히 해결되었다.

큰형은 나의 영특함을 칭찬했다. 기억력이 좋을 뿐 아니라 긴급한 상황에서도 대처 능력이 뛰어나다며 나를 추어올렸다.

또 한번은 큰형과 가축 시장에 노새를 팔러 갔는데, 사려는 사람과 가격이 맞아 거래가 성사되었다. 당시에는 중개인이 노새를 시장 한쪽에 묶어 두고 양측이 대금과 중개 수수료를 넘겨주면 노새를 풀어 구매자에게 넘기는 방식으로 거래가 진행되었다. 그런데 구매자도 대금을 주고 큰형도 수수료를 지불했는데, 중개인이 다음 장이 설 때 대금을 받아 가라고 하는 것이 아닌가? 나는 다음 장이 설 때까지 반년이나 기다려야 하는 데다 중개인은 타지 사람이라 돈을 빼돌릴 여지가 다분하다고 생각했다. 큰형이 중개인에게 따지려 하자 군중이 몰려들어 빙 둘러싸더니 우리를 압박해 불리한 쪽으로 몰아갔다.

나는 아버지의 친구인 류쉬에한(劉學函)을 떠올렸다. 그는 두루 발이 넓어 선인, 악인 가리지 않고 여러 인사와 친분을 맺었으며, 의리를 중시했다. 나는 큰형에게 저자세로 시간을 끌라고 하고, 류쉬에한을 찾아가 도움을 청했다.

그는 사정을 듣더니 두말없이 말채찍을 들고 가축 시장으로 달려갔다. 채찍으로 잇달아 머리를 후려치자 중개인은 달아나지도 못하고 용서를 빌 수밖에 없었다. 결국 중개인은 돈을 주겠다고 약속했을 뿐 아니라 우리가 큰돈을 지니면 돌아가는 길에 위험할 수 있으니 안전을 위해 직접 자오가까지 보내 주겠다고 했다.

나는 어려서부터 가정교육을 잘 받았으며, 책이나 주변 사람들의 모범적인 행동거지, 그리고 생활 경험도 큰 도움이 되었다. 외부 세계는 위험하게 느껴지기도 했지만, 나는 어른들을 통해 견문을 넓히고, 직접 부딪쳐 가며 경험을 쌓았다. 그러다 보니 자연스럽게 용기와 담력이 커졌다. 요즘 부모들은 아이들을 너무 감싸고도는 경향이 있는데, 나는 내가 그랬듯이 아이들은 꼭 밖에서 부딪치며 이런저런 경험을 쌓아야 한다고 생각한다.

손자를 가르치다

손자가 공부하다가 뜻대로 되지 않아 우는 모습을 자주 본 나는 마음이 아팠지만,
공부가 손자의 유일한 탈출구임을 잘 알았다.
그래서 더 이상 매섭게 노려보거나 화내지 않고, 이치를 설명하며 설득에 나섰다.

1989년, 뉴질랜드를 한 달간 여행하고 타이완에 돌아와 아직 한숨 돌리지도 못했을 때, 홍콩의 친구가 전화를 걸어 열두 살짜리 손자 자오솽전(趙雙戰)이 중국을 나왔으니 어서 타이완으로 데려가라고 말했다. 자오솽전은 비자 문제로 홍콩에서 한 달밖에 머물 수 없어 내가 데려오지 않으면 다시 중국으로 돌아가야 했다.

급작스럽게 전해진 소식이었고, 아들은 아직 이 사실을 알지 못하는 듯했다. 다행히도 내 행동은 빨랐다. 나는 재빨리 관할 구역 당직 경찰의 사인을 받아 손자가 출국할 수 있게 했다.

다음 날은 일요일이었다. 나는 기차를 타고 타이베이에 간 후, 월요일 아침부터 바로 초청 수속을 준비했다. 나는 중국대륙 재해동포 구제

총회, 출입국관리국, 경비총사령부, 조사국 등 네 개 기관에 들렀다. 사람들의 조언대로 접수처를 거치지 않고 스스로 서류를 처리했으며, 게다가 임기응변이 뛰어나 하루 만에 모든 공문을 손에 넣을 수 있었다. 재해동포 구제총회에서는 나의 효율적인 일 처리 방식에 놀라움을 금치 못했다. 둘째 날에 나는 비행기를 타고 직접 홍콩으로 가 처음으로 손자와 상봉했다. 해협교류기금회의 도움으로 후속 수속을 밟아 손자는 일주일도 안 되어 타이완으로 올 수 있었다.

동료들은 나에게 무거운 짐을 지지 말라고 말렸다. 벌써 80이 다 된 노인이 살면 얼마나 살겠느냐며……. 하지만 나는 아주 긍정적이었다.

"하루하루 지내면 그만이지. 내가 정말로 죽더라도 손자는 남자고, 또 외모도 나쁘지 않으니 누가 데려가고 싶다고 하면 장가보내면 되지 뭐."

자오솽전이 타이완으로 온 것은 학업을 위해서였지만, 타이완에서의 공부 스트레스가 그렇게 크리라고는 상상도 하지 못했다. 그는 출발선에서부터 벌써 타이완의 학생들에게 뒤처졌다. 전에 배운 것은 간체자(簡體字, 중국의 문자 개혁에 따라 복잡한 한자를 간단하게 변형한 한자_옮긴이)여서 타이완에서 쓰는 복잡한 한자에 적응하지 못했다. 또 전에는 공산주의였지만 삼민주의[三民主義, 쑨원(孫文)이 제창한 중국 근대 혁명의 기본 이념으로 민족주의, 민권주의, 민생주의를 일컫는다_옮긴이]로 바뀌어야 했으며, 수학, 영어, 국어 모두 다시 공부해야 했다.

때리거나 윽박지르지 않아도 위엄을 잃지 않다

자오솽전이 공부하기 싫어할 때면 나는 중국으로 돌아가고 싶으냐고 물었다. 자오쐉전은 중국으로 돌아가면 공부할 방법이 없고, 삶이 고달파진다는 것을 잘 알고 있었다. 그래서 공부가 힘들어도 타이완에 남는 쪽을 선택했다. 나는 손자가 눈물을 흘릴 정도로 공부를 힘들어하는 것을 보고 말했다.

"어쩔 수 없다. 용기를 내서 맞서 싸워야지."

공부가 손자의 유일한 탈출구임을 알았기 때문에 보기에 안타까워도 엄하게 다스리는 수밖에 없었다.

자오쐉전은 고등학생 시절 놀기를 좋아했는데, 나는 인내심을 발휘해 절대로 꾸짖거나 혼내지 않고, 대신 세상 이치를 차분히 설명해 주었다.

어떤 사람이 자오쐉전에게 "할아버지가 잘해 주시니?"라고 물었다.

"때리지도 않고, 윽박지르지도 않아요"라는 답에 그가 "그럼 엄청 좋으시네" 하고 말하자 자오쐉전은 이렇게 답했다.

"얼마나 무서운데요. 할아버지가 얼마나 무서운지 모르고 하시는 말씀이에요."

내가 잔소리는 하지 않지만 날카로운 침 같은 한마디로 무섭게 지적하고, 인정사정 봐주지 않는 것을 말하는 것이었다. 나는 아무리 좋은 말도 지나치면 안 된다고 생각했다. 잘못된 부분을 알려 주기만 하면 되지, 계속 잔소리를 퍼부으면 상대가 오히려 심각성을 깨닫지 못한다고 믿었기 때문이다.

한번은 손자가 사는 게 아무런 재미도 없다며 의기소침한 말을 내뱉었다. 나는 그 말을 듣고도 화를 내지 않았다.

"죽는 건 쉽다. 저기서 뛰어내리기만 하면 바로 죽어. 네가 만약 게으르고 고생을 겁낸다면 커서도 좋은 재목이 못 되고, 살아 있어도 발전이 없단다. 사람은 고생을 겪어야 나중에 웃을 날이 오는 거야."

손자는 눈물을 뚝뚝 떨어뜨리더니 다시는 이런 말을 내뱉지 않았다.

어떤 사람이 나에게 손자가 정말로 자살을 기도하기라도 하면 어떡하느냐고 걱정하자 나는 이렇게 말했다.

"그럼 죽으라고 하지요. 그 아이가 힘들다면 나는 더 힘들어요. 평생 아이라곤 키워 본 일이 없는데 이 나이가 되어서 손자를 키우려니……. 나는 지금 돈도 없고 도와줄 사람도 없어서 혼자서 생고생하고 있어요. 내가 독하지 않았다면 일찌감치 포기해 버렸을 거예요."

만일 내가 아무런 말도 하지 않으면 손자는 내가 정말로 화가 났다는 걸 알고 내가 어떤 행동을 취하기 전에 자신의 행동을 고쳤다. 침묵이 말보다 무서운 법이다.

손자가 불량한 아이들과 어울려 반항하고 속 썩이지는 않을까 걱정했던 나는 먼저 그 학생의 어머니를 찾아가 손자가 질이 나쁘니 댁의 아이와 어울리게 하지 말라고 말해 화근을 막았다. 나는 친구와의 사이를 갈라놓고 싶으면 절대로 부모 앞에서 그 집 아이 탓을 해서는 안 된다고 생각했고, 나중에 과연 손자와 그 친구는 왕래가 줄어들었다.

손자와 함께 시험을 보다

나는 손자를 너무 아끼고 사랑해서 버릇 나빠지는 일이 없도록 주의를 기울였다. 어떤 면에서 보면 손자는 내가 돌보았던 수많은 학생과 다르지 않았으며, 실제로도 똑같이 생각했다. 이는 어려서부터 대가족 속에서 많은 형제자매와 어울려 지내고, 본가 식구와 외가 식구를 구별 짓지 않는 환경에서 자라 왔기 때문일 것이다.

손자가 고등학교를 졸업하자 나는 대학에 진학하라고 했지만, 대학에 떨어지면 창피하다며 시험 볼 엄두를 내지 못했다. 나는 단호하게 말했다.

"시험 안 치르려면 중국으로 돌아가라! 떨어지면 다시 공부해서 내년에 또 도전하면 되지 않느냐! 시험도 안 보고 포기하는 게 더 창피한 일이다."

결국 나는 손자와 함께 시험을 보기로 하고, 같이 시험장에 들어갔다. 고령자의 대학 시험 응시 소식은 신문에 게재되는 등 사람들의 관심을 끌었다. 나는 손자 격려 차원에서 응시한 것이라 사전에 전혀 준비를 하지 않았기에 당연히 낙방했다. 그러나 이번 시험으로 공부에 대한 욕망이 생겨났고, 훗날 쿵중 대학에 응시해 순조롭게 문화예술학과에 합격했다.

첫해에 손자가 고배를 마시자 나의 동료들은 모두 대학은 포기하고 직업학교에 보내는 게 좋겠다고 말했다. 그러나 나는 손자가 어떻게든 대학 공부를 마쳐야 좋은 직장을 구할 수 있다고 생각했다. 나중에 손자는 대학을 졸업하고, 몇몇 회사를 거친 후에 타이완 최대 민간 기업인 홍하이(鴻海)에 입사했다. 모두 내가 선견지명이 있었다고 입을 모아 말했다.

이듬해에 드디어 손자는 중화(中華) 대학 기계공학과에 입학했다. 그러나 공부를 등한시하고 노는 데 빠져 첫 학기에 전 과목에서 낙제하고 단 1학점도 따지 못했다. 나중에 학교를 1년 더 다녀야 했는데, 그나마도 하마터면 졸업하지 못할 뻔했다. 나는 뛰어난 의지력으로 당근과 채

찍을 적절히 구사하고, 다른 사람에게 손자의 지도를 부탁했다. 다행히 도 손자는 너무 늦지 않게 잘못을 뉘우쳤고, 가까스로 5년 만에 졸업해 한시름 덜게 되었다.

나는 손자가 타이완에 오기 전에는 호의호식했다고는 할 수 없지만 나름대로 자유롭게 편히 지내고 있었다. 하지만 손자가 오고 나서는 경제적인 부담이 커졌는데, 당시의 한 달 수입이 퇴직금 1만 5,000타이완 달러(1타이완달러는 우리 돈 약 38원에 해당한다_옮긴이)뿐이어서 두 사람이 생활하는 데 크게 부족했다. 거기에 학비며 재수 비용까지 감당하려면 턱없이 모자랐다.

친구에게 손 벌리기 싫었던 나는 은행에서 몇 번에 걸쳐 90여만 타이완달러를 빌렸다. 평생 빚을 지지 않았던 나에게 그것도 고령에 갚을 빚이 있다는 것은 매우 고통스러운 일이었다. 나는 손자가 초등학교에서 대학교까지 다니는 10여 년의 시간 동안 치아가 모조리 빠질 정도로 혼신의 힘을 다해 손자를 돌봤다. 하지만 나는 고생을 겪어 봤기에 힘들수록 투지가 생겨났다. 손자가 졸업한 후, 우리 두 사람은 덜 먹고 덜 쓰며 열심히 돈을 모았고, 결국 은행 빚을 다 갚을 수 있었다.

손자가 공부하는 과정에서 우여곡절이 많기는 했지만, 일 처리를 꼼꼼하게 잘해 안심할 수 있었다. 손자는 나처럼 과묵하고, 시비를 가릴 줄 알았으며, 남을 이용하지도 않았다. 나는 겸손을 떨며 "좋은 아이라고 할 수는 없어도 그래도 나쁜 짓은 안 한다"라고 손자를 평가했다.

여든 살에 손자를 돌보느라 모든 기력을 다 소진해 버린 것만은 부정할 수 없는 사실이었다. 나는 그 기간 동안 머리는 희끗희끗해지고, 눈은

뿌예지고, 완전히 늙어 버렸다.

가르침을 받지 못한 아들

어렸을 때부터 할아버지 곁에서 바르게 클 수 있도록 가르침을 받아온 자오샹전은 운이 좋은 편이었다. 하지만 나의 아들은 평생 아버지의 가르침을 받지 못했으며, 부침이 심한 환경에서 성장한 탓에 이렇다 할 교육도 받지 못했다.

1948년 집을 떠날 당시 아들이 갓 태어났는데, 나는 그 후 40년간 아들을 만나지 못했다. 1989년 처음으로 중국 땅을 밟고 가족과 상봉했을 때, 아들은 이미 중년이 되어 있었다.

한번은 아들이 사업을 하겠다고 나에게 손을 벌렸는데, 나는 아들이 사업할 그릇이 못 된다고 생각하고 돈을 주지 않았다. 나중에 아들은 스스로 보증인을 찾아 돈을 대출했는데, 이자가 30퍼센트나 되었다. 그러다가 3만 위안(중국의 화폐 단위로, 1위안은 우리 돈 약 180원에 해당한다_옮긴이)을 사기당해 빚을 갚지 못하면 쇠고랑을 차는 신세가 되었고, 결국 다시 나를 찾아왔다.

나는 스스로 저지른 일이니 누구도 원망하지 말고 혼자 책임지라고, 나는 분명히 사전에 경고했다고 말했다. 어쩔 수 없는 상황에 처하게 된 아들은 나의 전화번호와 주소를 보증인에게 알려 주었고, 보증인은 돈을 갚으라며 내게 전화를 해댔다. 심지어는 돈을 갚지 않으면 크게 후회할 것이라며 협박하기도 했다.

나는 우리 집안에 이런 종자는 없다며 분개했다. 나는 집을 떠난 후 온갖 고초를 겪으며 힘들게 살았지만, 밥을 구걸할지언정 남의 돈을 빌린 적이 없었다. 나는 아들의 빚 변제를 돕지 않는 나의 입장에 대해서 단호하게 밝혔다.

"자신의 일은 스스로 책임져야 합니다. 당신이 아들을 죽이더라도 나는 후회하지 않을 겁니다. 후회는커녕 오히려 감사할 거예요."

보증인은 나의 완강한 모습을 보고 나중에 편지로 사과의 뜻을 전하며 무례를 용서해 달라고 빌고, 간절히 도움을 요청했다. 그의 태도가 변하자 나는 문제를 해결하기 위한 방법을 모색했다. 나는 은행에서 일하는 아버지의 옛 제자를 찾아가 대출을 부탁했다. 나는 대출받은 돈으로 바로 빚을 갚게 하고, 아들에게 천천히 이 돈을 갚으라고 일렀다. 나는 아들의 보증인이 되어 주지는 않았지만, 아들이 돈을 다 갚고 일을 확실히 해결할 때까지 지켜보기로 했다.

나는 아들이 빚졌을 때는 결코 주머니에서 돈을 꺼내지 않았지만, 나중에 큰형의 손자가 하얼빈(哈爾濱) 공업대학원에 합격했을 때 1년에 만 위안가량 하는 학비를 내지 못하자 선뜻 학비를 내주었다. 내가 집을 떠난 이후 처음으로 대학에 진학한 사람이었기 때문에 결코 포기할 수 없는 기회였다. 게다가 큰형이 사랑해 마지않는 손자였고, 큰형의 손자는 곧 내 손자와 다름없었다. 나는 도와주는 것에 대해 한 치의 망설임도 없었다.

남의 집 아이를 아끼다

내 마음속의 잣대는 바로 교육으로, 스스로 공부를 좋아하는 만큼 공부를 좋아하는 젊은이들을 매우 아낀다. 지금은 가오슝 사범대학으로 이름을 바꾼 가오슝 여자사범학교에서 학생들을 가르쳤을 때 특별 지도를 통해 많은 학생과 교류해 왔기에 후진을 양성하는 일에 애정이 깊었고, 학생들을 내 아이처럼 여겼다.

가오슝 사범대학이 설립된 지 얼마 안 되었을 때, 학생들은 학교의 보수적인 관리 정책에 불만이 많았다. "학교는 대학, 관리는 중학교"라고 말할 정도였다. 학교에서 대학생을 중학생처럼 관리한다는 뜻이었다. 학생들은 엄격한 구속을 싫어해 학교와 자주 충돌을 빚었으며, 밤에 몰래 교정 곳곳에서 종잇조각을 날려 학교 측에서도 고민이 이만저만이 아니었다.

나는 당시 안전실의 사상검열 업무를 담당하고 있었는데, 어느 날 총장이 나를 찾아와 이 문제를 어떻게 해결할 것이냐고 물었다. 나는 이는 학생의 문제가 아닌 교육 관리의 문제라고 밝혔다. 그러자 총장은 나의 여유로워 보이는 모습에 호기심이 생겼는지 "사상검열 일이 가장 바쁘고 골치 썩는 일 아닌가요?"라고 물었다. 나는 답했다.

"그건 스스로 긁어 부스럼을 만들기 때문이죠. 사상이라는 게 관리할 수 있는 겁니까? 누군가 불평하면 기록해 올리는 게 바로 긁어 부스럼 만드는 겁니다. 공연히 모두의 업무 분위기에 영향을 끼치면서 말이죠. 누구든지 불평할 수 있어요. 불만을 토로하는 것은 사상의 문제가 아닙니다. 불공정한 일을 겪으면 누구나 불만을 품을 수밖에 없어요."

나의 말을 들은 총장은 이 또한 일리가 있다고 생각했고, 학생들이 나를 자주 찾고 나 또한 학생을 돌보는 모습을 자주 보았던 터라 특별 지도 일을 맡기기로 했다.

총장은 "요즘 학생들은 정상이 아니에요. 반항심이 아주 강해 걸핏하면 교수들에게 반기를 들어요"라고 말했지만, 나는 계속 학생들 편을 들었다.

"어느 학교 학생이 교수에게 반항하지 않는답니까? 교수가 학생을 심하게 단속하는데, 당연히 기분이 좋지 않고 반항심을 품게 되죠."

그렇게 나는 1968년부터 사상검열 업무 외에 특별 지도 업무도 맡게 되었고, 그 후로 다루기 어려운 학생들과 연을 맺게 되었다. 학교에 대한 불만, 나라에 대한 의문, 공부의 어려움과 연애에 관한 고민, 심지어 학교가 싫어 자퇴를 생각한다는 고민까지, 학생들은 온갖 고민거리를 내 앞에서 풀어 놓았다.

나는 학생들이 허심탄회하게 말할 수 있도록 담배를 피우기 시작했다. 나는 담배를 건네면 거리가 상당히 좁혀져 마음속 그 어떤 말도 자연스럽게 나오게 된다고 생각했다. 나는 학생의 마음을 읽고 말 한마디 한마디에 귀 기울였으며, 선생이 아니라 학생의 입장에서 생각하고 정곡을 찌르는 의견을 제시했다. 그러자 학생들도 나의 말을 듣고 기꺼이 수용했다. 그 후 사무실에 학생의 출입이 끊이지 않았으며, 일요일에도 참지 못하고 나에게 달려오는 학생이 있을 정도였다.

박사를 배출한 기숙사

내가 사는 기숙사는 24시간 개방되어 독서실처럼 이용되었다. 전에는 기숙사에 소등 시간이 있어 소등 이후에는 나의 집에서 공부하는 학생들이 꽤 있었으며, 많은 학생이 집 열쇠가 어디에 있는지 알고 있어 내가 없을 때도 자연스럽게 나의 집에 드나들었다.

한 교수가 이를 상부에 보고했고, 총장 또한 학교의 조치에 반발하는 것이라며 불만을 표시했다. 하지만 나는 공부하고 싶어 하는 학생들을 돕는 것은 비난받을 일이 아니라고 반박했다.

나의 집에 머무를 때는 몇 가지 규칙을 지켜야 했다. 밤 8시 이후에는 텔레비전을 볼 수 없으며, 잡담도 금지였다. 전화 통화는 따로 언급하지 않았는데, 학생들이 굳이 전화로 수다를 떨 것이라 생각하지 않았기 때문이었다. 냉장고의 음식은 자유롭게 먹을 수 있었으며, 비바람이 불 때는 밖에서 식사하지 말고, 집에서 밥을 해 먹도록 했다. 한마디로 나는 학생들이 공부에 몰두해 열심히 시험 준비에 임하도록 했다.

위가 안 좋아 밖에서 산 음식을 먹지 못하는 학생이 한 학기 동안 나의 집에서 생활했던 적이 있다. 학생이 식비를 얼마나 내야 하느냐고 묻자 나는 겨울방학 때 같이 계산해 보자고 답했다. 겨울방학이 되어 다시 학생이 식비를 묻자 나는 또 여름으로 계산을 미루었다. 사실 돈을 받을 생각이 없었던 것이다. 여름방학이 되자 학생은 다시 나를 찾아왔다. 나는 "식비는 낼 수 있지만 숙박비는 못 내지 않느냐? 됐다"라고 말했다. 훗날 그 학생이 원하던 일류 대학원에 입학해 소식을 알리자 나는 이게 바로 최고의 보답이라고 말했다.

나의 기숙사는 방 두 개에 거실 하나가 전부인 16제곱미터 정도의 작은 공간이었다. 크기는 작았지만, 그곳에서 공부한 학생 중에서 박사가 열 명이나 배출되었다. 대개 중상위권 학교에 진학했으며, 지금은 다들 교수나 총장 등 사회에서 중책을 맡고 있다.

적극적으로 행동에 나서다

1962년에 장화 위안린(彰化員林) 고등학교를 졸업한 한 신입생은 부모가 경영하는 작은 사업으로 근근이 먹고살 정도였는데, 합격하고도 돈 버는 데만 정신이 팔려 있었다. 결국 글을 모르는 부모가 신병 훈련 통지서를 개봉도 하지 않은 채 방치해 신병 교육을 받지 못했고, 군사 교육도 받을 수 없었다. 그는 학교에서 제명될 위기에 처했고, 어쩔 수 없이 다시 입학시험을 준비했다.

학생 교우회에서 학생에게 나를 소개해 주었는데, 나는 그 학생을 하룻밤 재워 준 데 그치지 않고 담당 교수를 찾아가 방법을 찾아보겠다고 학생을 안심시켰다.

교수는 군사 교육 법령을 들어 이미 끝난 일이라 돌이킬 수 없다고 했다. 하지만 나는 포기하지 않았다. 나는 학생을 불러 진정서를 쓰게 한 후 밤차를 타고 타이베이에 올라가 교육부에 직접 제출하게 했다. 하지만 학생은 다음 날 집으로 돌아가 가족과 상의할 생각이었고, 이에 나는 이렇게 말했다.

"만일 공부하고 싶지 않다면 집으로 돌아가도 좋다. 하지만 공부할 결심이 섰다면 다른 누구와 상의해도 소용없어. 다른 사람은 널 도와줄 수 없으니까."

학생은 나의 말을 따르기로 했고, 타이베이로 올라가 다음 날 아침 교육부에 진정서를 제출했다. 교육을 받지 못한 이유와 함께, 올해 공부 기회를 놓치게 되면 내년에 다른 대학에 응시해야 하는데, 경제적 사정이 여의치 않아 공부를 못하게 될 것이라는 설명도 넣었다. 그는 교사를 지망하고 있고, 군사 교육은 겨울방학에 보충할 것이며, 그 어떤 처분도 달게 받을 것이니 특별히 준입학을 허락해 달라고 간청했다.

진정서를 제출하자 교육부에서 당일 오후에 회신이 왔다. 내용은 학생이 고의로 규정을 어긴 것이 아니므로 정상을 참작하고, 교육계에 뜻을 두고 있는 것을 헤아려 특별히 학교 등록을 허가한다는 것이었다. 대신 겨울방학에 보충 교육을 받아야 하며, 잘못을 기록에 남기는 처벌은 받아야 한다는 조건이 붙었다. 학생은 힘들게 입학한 후 과대표가 되었는데, 행실이 바르고 여러 공로를 인정받은 덕이었다. 졸업 후에는 순조롭게 교육계에 진출했다.

내가 퇴직한 후 고향 친구 한 명이 신주(新竹)로 이사를 가며 40년이 넘은 오래된 집 한 채를 관리해 달라고 부탁했다. 집에 가보니, 원래 세 학생이 세 들어 살다가 두 명이 떠나고 한 명이 남았는데, 혼자서는 세를 감당하기 버거워 이사를 가려고 생각하고 있던 터였다. 나는 학생에게 도시락을 사다 주고, 나머지 두 끼니도 만들어 주었으며, 처지가 안타까워 그 후로 2년 반 동안이나 방세를 받지 않았다.

학생은 졸업할 때 나를 찾아와 감사의 뜻을 전하고, 내지 못한 방세는 일자리를 구한 후에 반드시 갚겠다고 했다. 하지만 나는 괜찮다고 마다했고, 집주인인 고향 친구에게는 이렇게 말했다.

"2년 치 방세가 5만 타이완달러가 못 되는데, 자네에게 사과하고 싶다고 하더군. 공산당은 자네 전답을 모조리 빼앗고 핍박하고도 고맙다는 말은커녕 욕하고 때리지 않았나? 자네는 그때는 일언반구도 내뱉지 못하고서는 또 세를 놓아 돈을 벌려는 건가? 그만두게."

못 보면 어쩔 수 없지만 어려운 사람을 보면 돕는 게 나의 원칙이었다. 그는 나의 이야기를 듣고 처음에는 고개를 절레절레 흔들었지만, 이내 나의 말이 일리가 있다고 생각했다.

"좋네. 내 자네 말을 듣지!"

2장

고생을 달게 여기는 마음

1951년 타이완에서의 첫날 밤, 나는 기차역
벤치에 웅크리고 누워 있었다.
편하지는 않았지만, 의자가 그날 밤의 침대였다.
주머니에는 돈이 있었지만,
신분증이 없어서 여관에 투숙할 수 없었다.

그때 나의 행색은 마치 부랑자나 다름없었다.
미간에 풍기는 학자 분위기를 제외하면
선비 집안의 도련님 출신이라는 것을
알아챌 수 있을 만한 것은 아무것도 없었다.

"사람이 감당하지 못할 복도 없고, 감당하지
못할 고생도 없다."
집을 떠나기 전에 어머니가 한 당부가
머릿속을 떠나지 않았다.
밤이슬을 맞는 일은 일상다반사가 되어 버렸다.

전란 속에 천 리 피난길을 떠나다

나의 평화로운 세월은 포성과 함께 끝이 나고,
나를 맞이한 것은 기쁨과 슬픔이 뒤섞인 또 다른 인생이었다.
하지만 나는 고난을 겪으면서도 복을 소중히 여기고 감사하는 마음을 잊지 않았다.

1938년 5월, 나는 마을 밖 숲에서 한가로운 한때를 보내고 있었다. 측백나무가 줄지어 있는 그곳에서 나는 나무 그늘 아래에 누워 좋아하는 책을 읽었다. 시원한 바람이 솔솔 불어오자 졸음이 쏟아졌다. 그때 갑자기 저 멀리서 떠들썩한 소리가 들려와 평화를 깨뜨렸다. 무슨 소리인가 싶어 측백나무 숲을 벗어난 나는 눈앞에 펼쳐진 광경에 입을 다물 수가 없었다.

길게 늘어선 인파가 무리를 지어 마을을 빠져나와 서쪽을 향하고 있었다. 사람들은 다급하게 우마차, 달구지, 인력거를 끌었다. 안에는 어린아이나 가재도구, 이불 따위가 실려 있었다. 대열은 끝없이 이어졌다. 나는 일이 터졌음을 직감하고 집 쪽으로 내달렸다.

"얼른 도망쳐요! 일본 놈이 쳐들어왔습니다! 사람을 닥치는 대로 죽이고 있어요!"

후퇴 중이던 산둥 성의 주석 한푸취(韓復榘)의 부대 제2로군은 사람들에게 피신하라고 외쳤다. 나는 흙먼지로 가득한 얼굴에 땀을 비 오듯 흘리는, 피로에 찌든 사병들의 모습을 보았다. 집집마다 대문을 걸어 잠근 터라 사병들은 마실 물조차 구하지 못해 도랑의 오염된 물을 마시며 뛰었고, 숨소리는 마치 가축처럼 매우 거칠었다.

걱정으로 가득해진 나는 다급하게 가족을 찾아 나섰다. 다행히 저 멀리서 가족과 마차가 보였고, 나는 재빨리 그 곁으로 뛰어갔다. 그런데 마차에 오르려는 순간, 숲 속에서 아이의 처량한 울음소리가 들려왔다. 나는 잠시 망설이다 가족을 먼저 보내고 아이가 부상을 입은 것은 아닌지 살피려 했다.

머슴은 다른 사람은 상관하지 말고 먼저 스스로를 챙기는 것이 좋겠다고 했지만, 어머니는 가서 살펴보고 만일 아이가 부상을 당했으면 상처를 치료해서 집에 보내 주고, 집에 사람이 없으면 가족과 만나게 해주라고 당부했다.

숲 속으로 가니 열 살 남짓한 아이가 보였다. 친구들이 장난으로 나무에 묶어 놓았는데, 총성이 들리자 그 아이를 그냥 놔두고 도망가 버린 것이다. 나는 아이를 무사히 아버지에게 데려다 주었다.

그때 갑자기 포탄이 마을의 대로 앞에 떨어졌고, 큰 구덩이가 몇 개나 생겼다. 침착했던 마을 사람들은 비명을 지르며 앞다투어 도망가기 시작했다.

기록에 의하면 일본군은 5월 중순 진샹 현을 침공했고, 성을 폐쇄했다. 당시 성안에는 성 축조 공사와 관련해 징집된 3,000여 명의 노동자와 300명의 거주민이 있었는데, 대부분 학살되었고, 유구한 역사가 담긴 고성(古城)은 피로 얼룩졌다. 그 후 3개월 동안 성안에는 그 누구도 살 수 없었고, 근처 마을은 시체 썩는 냄새로 진동했다.

나의 평화로운 세월은 포성과 함께 끝이 나고, 나를 맞이한 것은 기쁨과 슬픔이 뒤섞인 또 다른 인생이었다.

대혼돈 속에서도 침착함을 잃지 않다

일본군은 진샹 현을 침공했지만 아직 점령하지 못해 계속 서쪽으로 진격했고, 국군도 퇴각해 이 지역은 진공 상태가 되었다. 난세에는 인간 본성의 추악한 일면이 숨김없이 드러나기 마련이다. 평소에 시시껄렁하던 백수건달들이 항일을 명목으로 인마(人馬)를 끌어모으더니, 실제로는 스스로의 세력을 확장하는 데 쓰고, 지역 백성들의 양식을 강탈했다.

1939년 1월, 일본군이 다시 진샹 현에 쳐들어왔고, 외교 사절로 주둔하기 시작했다. 표면적으로 현장(縣長) 및 향장(鄕長)급 현회의(縣會議) 구성원은 중국인이었지만, 실질적으로는 일본의 명령에 따르는 매국노였다. 그들은 때론 일본인보다 더 악랄했다. 지역의 비적 대장 한 명은 일본인이 온 후 돈으로 관직을 사 대대장이 되었다. 그는 주로 부자를 위협했는데, 고분고분하지 않으면 자금 유통을 제한하고 중앙군(국민당 군대_옮긴이)이나 팔로군(중국의 항일 부대_옮긴이)과 결탁했다며 모함했다. 그러고는 수옥(水獄)에 가두어 넣고 늑대와 개를 풀어 물게 만들었으니, 돈이 있는 자들은 모두 벌벌 떨 수밖에 없었다. 이 매국노들이 일본인의 통치에 협조하자 일본인보다도 그들을 원망하는 목소리가 더 커졌다. 하지만 무정부 상태의 혼란기와 비교하면 백성들은 일본이 점령한 기간에는 짧게나마 태평세월을 누렸다고 할 수 있었다. 양곡세를 바쳐야 하는 것을 제외하면 그런대로 안정된 생활을 누릴 수 있었다.

1940년 봄, 각 현의 정부는 지닝(濟寧)에서 거행되는 경마대회에 말을 키우는 현민이라면 반드시 참가하게 했다. 자오가에서는 경작용 말을 다섯 마리 키웠는데, 모두 살이 오르고 잘생긴 준마였다. 규정에 따라 반드시 대회에 출전해야 했는데, 이상한 예감이 든 큰아버지는 사람을 고용해 대회에 참가시키려고 했다. 하지만 고용비가 터무니없이 비쌌다. 고용비가 은전 50냥에 달했는데, 그 돈이면 밭 1무(畝, 넓이의 단위로, 1무는 약 666.7제곱미터에 해당한다_옮긴이)를 살 수 있는 금액이었다. 그런 큰돈을 낭비할 수 없다고 생각한 내가 직접 다녀오려고 했지만, 큰아버지는 허락하지 않았다.

결국 마을 사람 중에 가장 형편이 좋지 않은 위안(袁) 씨를 고용했다. 그를 직접 만난 큰아버지는 상황을 판단해 보고 심상치 않으면 얼른 그곳을 떠나라고 당부했다.

"말은 잃어도 상관없네. 사람이 무사히 돌아와야지. 보수는 섭섭지 않게 쳐주겠네."

그러나 큰아버지의 불길한 예감은 사실로 드러났다. 일본은 대회가 끝나자마자 사람과 말을 모두 기차에 싣고 가버렸다. 소식 하나 남기지 못한 채 끌려가 버린 이들이 허다했다. 일부러 대회를 만들어 이를 빌미로 병력과 말을 거두어들인 것이다. 이런 수법은 한 번밖에 통하지 않았고, 나중에는 강제로 병력을 징집했다.

큰아버지는 두 가정의 아홉 남자 중 오로지 나만 위험을 무릅쓰려 한 것을 보고 나를 칭찬했다.

"착한 네가 큰아버지의 걱정을 덜어 주었구나. 젊고 용감한 데다 이해관계에 얽매이지 않는구나."

폭풍 전야의 고요

일본 점령기에 각지에서 유격대가 일어나 항일 활동을 벌였다. 친척이나 친구 중에도 항일 유격대에 합류한 사람들이 많았는데, 대부분 집안 환경이 좋은 지식층이었다. 굳이 나설 필요는 없었지만 애국심에 들끓는 피로 하나둘씩 국민당이나 공산당에 입당했으며, 일부는 전투부대에 들어가 총을 들고 일부는 지하에서 선전 활동을 벌였다.

한 친척이 나에게 항일 유격대에 합류하라고 권유했지만, 나는 총을 드는 대신 가끔 회의에 참여했을 뿐, 국민당에도 공산당에도 들어가지 않았다. 어머니는 적대적인 세 진영 중 한 곳이라도 얽히게 되면 어느 쪽이 됐든 장래에는 연루되는 것을 피하기 어려우니 본분을 지키며 살라고 말씀하셨다.

그래서 나는 집에서 매일 책을 읽고 글을 쓰며 유유자적한 나날을 보냈다. 당시 성 출입은 엄격히 통제되어 있었는데, 두루 발이 넓었던 나는 진장(鎭長)이 양민증을 만들어 주어 자유롭게 출입할 수 있었다. 나는 원래 성안에서 열리는 경극을 즐겨 보곤 했는데, 그때는 공연이 열리지 않았다. 하지만 그래도 친구를 만나러 성안을 자주 찾았다. 일본군 통치하의 스산한 분위기도 나를 막지는 못했다.

그러던 어느 날, 나는 일본군이 공산당과 유격대를 소탕하는 현장에 맞닥뜨렸고, 순간 피하지 못하고 일본군에 붙잡혔다. 일본군은 나에게 무언가를 물었는데, 내가 알아듣지 못해 답을 못하자 뺨을 두 차례나 후려쳤다. 그제야 사태의 심각성을 인식한 나는 일본 사람을 보면 아주 멀리 도망갔다. 나는 이때의 경험을 통해 언행의 중요성을 절감할 수 있었다.

"난세에는 언행을 조심해야 한다. 태평세월일지라도 언행에 신중해야 하는데, 하물며 난세에는 더 조심해야 하지 않겠는가?"

지주 신분이 불러온 소용돌이

나는 중일전쟁에서 중국이 승리하기 전에 쓰촨(四川)으로 피난을 갔다가 일본이 투항한 후 집으로 돌아왔다. 문 앞에서 아버지의 친구와 마주쳤는데, 그는 나에게 급박한 목소리로 자신의 집에 피해 있으라고 말했다. 공산당이 지주 청산 활동을 시작했다는 것이었다. 나는 소지주로, 공산당이 반기지 않는 존재였다. 1945년 일본이 투항하자 공산당은 총동원령을 내려 청산 투쟁을 벌였다. 당시 자오가는 전답은 몰수되지 않았지만 양식은 모조리 빼앗긴 상태였다. 마을 사람들은 아직 자오가를 상대로 투쟁 활동을 벌이지는 않았지만, 나는 사태가 점점 악화되리라는 것을 알았다.

어머니는 모두 밭에 나가 일하게 했지만, 나는 농사일에 서툴렀다. 어머니는 "잘하든 못하든 상관없단다. 많이 못하겠다면 조금이라도 해라. 공산당이 오면 모두가 다 똑같아지니까"라며 타일렀다.

일본이 점령했을 때 나는 침략당한 백성의 신분이었지만 그런대로 평화로운 나날을 보냈다. 하지만 공산당이 통치하게 되면서 지주 신분은 주홍글씨처럼 몸에 새겨졌다. 앞으로 진정한 고생이 시작될 것은 불 보듯 뻔했다.

마을 투쟁회 회장과 잘 아는 사이였던 나는 그에게 자오가에 투쟁 활동을 벌일 것인지 물었다. 회장은 투쟁 활동을 하겠지만 형식적인 것이라 나를 공격하지는 않을 텐데, 큰형은 조금 위험할 수 있다고 일러 주었다. 집주인인 데다 일전에 소작인에게 원한을 산 적이 있어 소작인이 복수심을 품을 가능성이 있다고 했다.

후에 과연 큰형은 소작인에게 당하고 말았다. 나는 큰형이 찌는 듯이 더운 날에 기둥에 묶여 땀을 뻘뻘 흘리고도 물 한 모금 마시지 못하는 모습을 보았다. 나는 촌장에게 달려가 도움을 요청했고, 과거에 아버지의 제자였던 촌장은 바로 물을 가져다주고, 줄을 풀어 주었다.

큰형이 풀려난 후에도 좀처럼 안정을 찾지 못하자 어머니가 위로의 말을 건넸다.

"시국이 이러니 곤욕을 치를 수밖에 없구나. 그래도 다행히 매는 안 맞았잖니."

암울하고 불안에 휩싸였던 집안에 나의 혼례를 계기로 경사스러운 분위기가 감돌았다. 사실 네 살 때부터 정혼자가 있었는데, 서른넷이 되어서야 혼사가 성사된 것이다. 나는 아내가 충직하고 분수를 지킬 줄 아는 여자라고 생각했다. 당시 보편적으로 '여자의 무지가 곧 덕'이라는 인식이 있어 여자가 교육을 받는 경우가 드물었기 때문에 아내 역시 글은 몰랐지만, 지혜는 결코 남들에 뒤지지 않았다. 아내의 할아버지는 청대의 거인[擧人, 향시(鄕試)에 합격한 사람_옮긴이]이고, 외할아버지는 공사[貢士, 회시(會試)에 합격한 사람_옮긴이]로 선비 집안인 셈이었고, 그 영향을 받아 아내는 사리에 밝았다.

나는 "정혼에서 결혼이 성사되기까지 30년이라는 긴 세월이 흘렀지만, 이 30년은 내가 집을 떠나 타향살이한 40년에 비하면 10년이나 짧다"라고 농담처럼 말하곤 한다. 나는 1948년 갓 태어난 아들과 생이별하고 집을 떠나 1989년 타이완과 중국 간의 친족 방문이 허용된 후에야 아내와 상봉했다. 백발이 성성해진 나와 아내는 서로를 쉽게 알아보지 못했다. 30대에 헤어져 70대에 다시 만나니 새댁이 호호 할머니가 되어 얼굴도 체형도 다 낯설었다. 보아하니 나를 보는 아내도 그런 것 같았다.

재회한 나는 대약진(공산당이 추진한 경제 성장 정책으로 큰 실패로 끝났으며, 가뭄, 홍수 등의 자연재해로 경제 사정이 최악으로 치달았다_옮긴이) 시기 아내가 큰 고생을 했지만, 그래도 한결같이 나의 부모님을 모시다가 어머니가 돌아가시고 나서야 친정으로 돌아간 것을 알았다. 친정에서는 일곱 형제의 보살핌을 받았으며, 1970년부터 1971년까지의 대기근의 시기에는 아내도 남동생과 함께 허난 성(河南省)으로 가서 반년을 구걸하고 배고픔에 시달리다 보리가 익으면 그제야 집으로 돌아가는 등 적잖은 고생을 했다고 했다. 나는 코가 시큰해졌다.

"어머니와 아내가 살아남을 수 있었던 것은 모두 처가의 경제적 지원 덕분이다. 우리 자오가 사람들은 동북, 서북 등지로 하방(下放, 당이나 군 간부 및 지식층을 낙후된 농촌 등지로 보내 노동에 종사시키는 운동_옮긴이)되어 남을 돌볼 여력이 없었으니……. 세월의 장난에 이 남편이 무슨 할 말이 있겠는가?"

나는 비탄에 잠겼다.

외조카를 탈출시키다

1946년 8월, 국민당이 산둥 지역을 수복하자 하룻밤 사이에 정세는 완전히 역전되었다. 국민당은 공산당원들을 잡아들였다. 가담 정도가 가벼운 사람은 경고 수준에 그쳤지만, 깊이 연루된 사람은 총살형에 처해지거나 산 채로 매장되는 경우도 적지 않았다.

나에게는 외조카가 있었는데, 지주 신분이었지만 항일 운동을 벌이고 공산당에 가입한 전력 때문에 국민당의 눈을 피해 자오가에 숨어 있었다. 그러다가 정세가 악화되자 의탁할 친지를 찾아 남쪽으로 가기로 했다.

마을에서 차를 타는 곳으로 가려면 다리를 건너야 했는데, 중간에서 국민당군이 검문을 하고 있어서 공산당원이 그곳을 지나는 데 큰 위험이 따랐다. 담력이 컸던 나는 외조카를 차 타는 곳까지 데려다 주기로 했는데, 다리 부근에서 저지당했다. 군인의 낯이 익어 물어보니 같은 동네 아이였고, 친분이 있었다. 그 덕분에 다행히도 관문을 무사히 통과하고 순조롭게 외조카를 차에 태워 보낼 수 있었다.

중국이 공산화되자 외조카는 고향으로 돌아와 교육계에 몸담았고, 외조카의 손자는 베이징(北京) 대학에서 박사 학위를 받은 후 미국 버클리 대학(Berkeley University)에서 박사 학위를 받고 연구를 계속하다가 지금은 상하이에서 일하고 있다. 나는 그때 다행히도 외조카를 구해 내서 걸출한 후손이 배출될 수 있었다고 생각했다.

공산당이 지주를 상대로 투쟁 활동을 벌일 때 많은 사람이 자오가의 식량을 나눠 가졌는데, 국민당이 돌아온 후 겁을 먹은 사람들이 죄다 돌려주었다. 하지만 아버지는 먹을 것도 없는데 기왕 가져갔으면 그냥 먹지 뭐하러 돌려주느냐며 받지 않았다. 그 때문에 나중에 중국이 공산화된 후에도 자오가는 무사할 수 있었다. 식량을 회수한 지주들은 공산당으로부터 '역적 분자'라 불리며 극악무도한 죄인으로 취급되어 숙청의 대상이 되었다. 결국 많은 사람이 총살을 당했다.

웃어른의 지혜 덕분에 위기를 모면하다

일본, 국민당, 공산당이 차례로 들이닥쳤지만 자오가는 아주 심각한 피해를 입지는 않았다. 나는 웃어른들의 지혜와 평소의 선한 인품, 그리고 형제와 자손들이 공직에 나가는 것을 허락하지 않은 점 때문에 난세에도 평안을 유지할 수 있었다고 생각했다.

국민당이 산둥 지역을 수복한 후에 진샹 현 정부는 큰형을 장의 자리에 앉히고자 했다. 큰형은 압박에 어쩔 수 없이 응하기는 했지만, 간사를 뽑고 큰일은 전부 다른 사람에게 맡겨 직접적으로 일에 관여하지는 않았다. 훗날 중국이 공산화되자 간사는 총살형에 처해졌고, 큰형은 위기를 모면했다.

둘째 사촌 형 역시 어떤 사람에 의해 현장으로 추천되었는데, 사촌 형의 어머니가 반기를 들었다.

"조금이라도 일찍 죽고 싶으면 그렇게 하려무나. 공산당이 오면 사형당할 걸 감수해야 한단다."

결국 둘째 사촌 형은 현장이 되지는 않았지만, 친척들의 부탁으로 어쩔 수 없이 문화 · 경제 간사를 두 달간 맡았다. 공산당 수복 이후 둘째 사촌 형에게는 아무 일도 일어나지 않았지만, 현장의 배다른 형제였던 또 다른 문화 · 경제 간사 한 명은 총살당하고 말았다.

나는 딱히 할 일이 없다 보니 이곳저곳 돌아다니며 놀고, 경극을 보고, 재회(齋會, 음식을 차려 놓고 승려와 모든 넋을 기리는 법회_옮긴이)에 가는 것이 일이었다. 나는 그 어느 당도 지지하지 않았으며, 그 어떤 세력에도 의지하고 싶지 않았다. 국민당이든 공산당이든 사람됨이 바른가만 따졌으며, 양 진영의 친구를 두루 사귀었다. 이는 내 한 몸만 보전하겠다는 소극적인 처세가 아니었다. 정말로 내 몸 하나 보전하려 했다면 친구들을 멀리했을 테지만, 나는 거리를 두지 않았다. 그들은 모두 좋은 친구였다.

1946년 말, 공산당이 다시 산둥 지역을 점령하고 진샹, 위타이(魚臺), 쥐예(鉅野), 단현(單縣) 등 네 성을 포위했다. 그때 나는 진샹 현의 소학교 교원 훈련반에 있었는데, 전쟁이 터지는 바람에 바로 해산되었고, 나는 성안의 고모 집으로 들어갔다.

가보니 고모 집 뒤편의 소학교가 엉망이 되어 있었다. 그곳에 국민당군이 주둔해 있었는데, 공산당이 성을 공격할 때 소학교를 향해 수백 개의 포탄을 발사해 사상자가 수없이 많았다. 고모 집 정원 안팎에는 40여 구의 시체가 널려 있었는데, 이를 본 나는 기겁해 소변을 보러 나가지도 못했다.

국민당군은 민가에서 사람을 데려다가 가장 위험한 전선에 보루를 쌓는 일을 시켰는데, 나도 공산당이 점령한 북문에 끌려갔다. 국민당군은 성 밖에 총알 세례를 퍼부으며 백성들을 엄호했고, 공산당도 성안을 향해 공격했다. 백성들은 포탄이 비처럼 쏟아지는 가운데 목재, 솜이불, 흙 포대로 문을 막고 보루를 쌓았다. 반 시간 동안 내가 눈으로 본 것만 해도 일곱 명이 죽어 나갔다.

공산당은 다른 세 성을 함락했지만, 성벽이 견고한 진샹 현은 아직 무너뜨리지 못했다. 그래서 진샹 현에 총공세를 퍼부었고, 캄캄한 밤이 되도록 포성은 멎을 줄 몰랐다. 이미 진샹 현 성 밖의 해자(垓子, 적의 침입을 막기 위해 성 주위에 둘러 판 못_옮긴이) 서남쪽 모서리는 시체로 가득했다. 다행히도 겨울철이라 시체가 그리 빨리 부패하지는 않았다.

집이 너무나도 그리웠던 나는 잘 아는 현 대장이나 소대장을 찾아 도움을 요청했고, 소대장의 도움 아래 성벽을 기어오른 후 사다리를 타고 내려올 수 있었다.

성에서 나왔지만 곧장 집으로 갈 수는 없었다. 마을에 공산당이 있으니 일단 처가에 숨어 있어야겠다는 생각에 처가로 향하던 나는 도중에 공산당에게 붙잡히고 말았다.

나는 한 마을에 갇혔다. 공산당은 다짜고짜 채찍을 후려갈기더니 나를 방앗간에 매달아 놓았다. 발이 닿지 않아 발끝을 세우고 서있을 수밖에 없었는데, 여간 힘이 드는 것이 아니었다. 공산당이 죽이지 않더라도 힘이 들어서 날이 밝기 전에 죽을 지경이었다. 도망갈 틈을 살피던 나는 보초가 잠이 들자 곧바로 방아 위로 올라가 천천히 줄을 풀었다. 다행히도 매듭은 쉽게 풀렸고, 사다리를 찾아 담장을 넘어 도망쳤다.

하지만 향공소(鄕公所, 동사무소에 해당하는 곳_옮긴이) 사람들을 이끌고 공산당을 소탕하러 나서는 국민당군과 또 마주치고 말았다. 다행히도 향공소 사람이 나를 알아보고 신분을 증명해 주었고, 무사히 집으로 돌아갈 수 있었다.

고난 속의 즐거움, 인생을 깨닫다

집을 떠난 후 나는 두 번 다시 어머니를 만나지 못했다.
의지할 사람 하나 없이 홀로 떠난 피난길에서 어려움이 거듭되었다.

1948년, 공산당은 진샹 현을 함락하고 대대적으로 지주 비판에 나섰다. 나는 일개 평민이었던 사람이 투쟁회를 주최하고 생살여탈권을 쥐는 모습을 보았다. 옳고 그름을 따질 틈도 없이 총살을 지시하면 바로 총살해 버리는, 인명이 파리 목숨보다 못한 상황을 지켜본 나는 더 이상 집에서는 살 수 없을 것 같다는 생각이 들었다. 투쟁회에서 조만간 나를 찾아낼 것이 분명했기 때문이다.

어머니도 멀리 가면 갈수록 좋겠다고 말했다. 세상사에 훤했던 어머니는 일찍이 이별을 예상하고 있었다. 어머니는 언제 다시 보게 될지 모르는 아들과의 이별에 가슴이 찢어지는 듯했지만, 집에는 자신을 돌봐줄 사람이 많으니 걱정하지 말라고 애써 나를 위로했다. 그러고는 만일 가족이 자신을 돌봐 주지 못한다면 그때는 내가 집에 남아 있어도 소용없다고 덧붙였다.

"세상에 파하지 않는 술자리는 없는 법이다. 시국이 이런데 우리가 할 수 있는 것이 없지 않느냐? 부정적으로 생각하지 말고 긍정적으로 희망을 가지렴. 우리가 못 만난다는 건 네가 밖에서 씩씩하게 잘 살아간다는 뜻이겠지. 아들아, 즐거운 마음으로 떠나거라!"

나는 집을 떠나 계속 남쪽으로 향했다. 그리고 그 뒤로 두 번 다시 어머니를 만나지 못했다. 갑자의 세월이 흘러도 머릿속의 어머니는 아직도 안채에 앉아 있던 모습 그대로 남아 있다.

1948년 7월, 지난(濟南) 등지에서 잇달아 패배하자 공산당에 넘어간 지역의 학교는 국민당 정부를 따라 남쪽으로 이동했고, 나도 홀로 길을 떠났다. 피난길은 시련이 끊이지 않는 고행길이었다. 쉬저우(徐州)에 이르렀을 때 남쪽으로 향하는 취푸(曲阜) 사범학교 일행과 마주쳤는데, 많은 교직원이 미처 합류하지 못한 터라 인원이 크게 부족했다. 나는 아는 교사를 통해 교장의 추천을 받아 보도원(輔導員, 학생 관리 및 정치사상 교육을 담당한다_옮긴이)으로 일하게 되었다.

취푸 사범학교 일행은 잠시 쉬저우 철도 소학교에 머물렀는데, 월급은 받지 못했지만 국민당 정부 및 몇몇 기독교 단체의 지원으로 생활을 꾸려 나갈 수 있었다. 거리 구경을 좋아했던 나는 비록 피난 중이었지만 어려움 속에서도 즐거움을 찾아 밤이면 황허 강변으로 갔다. 그곳에는 점집과 도박판 등이 늘어서 있었고, 경극이나 만담 공연도 펼쳐졌다.

하루는 진샹 사범학교 동창 한 명이 황허 강변에서 도박을 하다가 전

재산인 은전 닷 냥을 잃어버렸다. 당시 은전 닷 냥은 다섯 달 생활비에 해당했다. 나는 그 친구의 사정을 잘 알고 있던 데다 보아하니 사기를 당한 것 같아 가만히 보고만 있을 수가 없었다. 그래서 스무 명 남짓한 동창생을 모아 돈을 돌려받아야겠다고 결심했다.

먼저 몇 명이 손님 행세를 하고 판돈을 걸었다. 그다음에 내가 기회를 엿보다가 "이 사기꾼아!" 하고 고함쳤고, 연이어 동창생들이 도박꾼들의 좌판을 뒤엎고, 도박꾼들을 하나씩 강에 빠뜨렸다. 물에 빠진 사람들은 순간 일어서지 못했지만, 수위가 낮아 빠져 죽는 일은 없었다. 나는 그들을 붙잡아 돈을 빼앗았다.

나는 은전 닷 냥은 동창에게 돌려주고, 남은 돈으로는 다른 동창생들에게 쇠고기탕을 사주었다. 모두 나의 용기에 칭찬을 아끼지 않았다. 당시의 망명학생(流亡學生, 일본 및 공산당의 통치를 피해 지방으로 옮긴 학교의 학생_옮긴이)들은 정부 정책에 따라 기차를 탈 때나 공연을 관람할 때 돈을 내지 않아도 되었다. 그런 망명학생들을 건드리다니 간이 부어도 한참 부은 사람들이었다. 결국 그들 스스로 불운을 자초한 셈이었다.

행상을 시작하다

오래지 않아 망명학교(취푸 사범학교를 일컫는다_옮긴이)는 쉬저우에서 난징 샤관(南京下關) 철도 소학교로 이동했다. 여전히 국민당 정부로부터 식사를 제공받았으며, 기독교 단체의 보살핌을 받았다. 그럼에도 모두 노잣돈이 바닥났고, 어려서부터 경제적 어려움을 모르고 자란 나는 처음으로 궁핍함을 겪게 되었다.

당시 공산당이 점령한 지역은 일용품 품귀 현상이 빚어져 양 군대의 접경 지역 10리 사이에는 물가가 몇 배나 차이 났다. 적잖은 이들이 공산당 점령 지역으로 들어가 장사를 했는데, 담력만 있다면 쏠쏠한 수입을 올릴 수 있었다. 담력만큼은 그 누구에게도 뒤지지 않았던 나도 행상을 시작했다.

당시는 모두 검정 옷만 입던 때라 검정 염료 가격이 크게 뛰었다. 한 통을 은전 한 냥에 구입하면 공산당 점령 지역에서 두 냥에 되팔 수 있었다. 나는 난징에서 염료를 세 통 구입해 공산당 점령 지역으로 들어갔다.

처음 하는 장사였지만 나는 재빠르게 요령을 익혔다. 희소성을 높이기 위해 시장에서는 염료를 하나만 꺼냈다. 사람들이 가격을 묻자 나는 일단 분위기를 좀 살펴보기로 했다.

"얼마에 살 거요? 이거 하나밖에 안 남았소만."

상대방은 두 냥 반을 불렀고, 그새 가격이 또 오른 것을 알아차린 나는 과감히 "석 냥 내시오!"라고 말했다.

첫 거래가 성공하자 나는 다른 골목으로 가서 같은 방법을 썼다. 매번 한 개만 남았다고 하니 물건이 금방 팔려 나갔고, 이틀이 지나기 전에 여섯 냥을 벌어들였다.

첫 번째 장사에서 쏠쏠한 재미를 본 나는 대형 금성표 만년필 한 자루가 은전 닷 냥이나 한다는 소식을 듣고 공산당 점령 지역에 가서 팔고 싶어 몸이 근질근질했다. 공산당 간부들이 항상 몸에 지니는 대형 금성표 만년필은 신분을 상징하는 것으로, 글을 모르는 사람도 구입해 지니고 다녔기에 가격은 절로 폭등했다.

나는 난징에서 닷 냥짜리 만년필을 열 자루 구입한 후 다시 한 번 공산당 점령 지역으로 갔다. 첫날 밤 숙소에 묵는데, 뜻밖에도 공산당의 검문이 있었다. 황급히 숙소 주인 어머니의 방으로 뛰어 들어갔는데, 나를 본 노부인은 내가 나쁜 사람 같아 보이지는 않았는지 침상 밑에 숨겨 주었다. 이렇게 또 한 번 고비를 넘겼다.

사실 그곳에서 고향 집까지는 불과 50킬로미터밖에 떨어져 있지 않았다. 나는 기회를 틈타 집에 가볼 생각이었지만, 공산당의 검문으로 너무 놀란 탓에 만년필을 전부 한 문구점에 팔아넘긴 뒤에 스무 냥 정도를 쥐고 난징으로 돌아왔다. 그 후로는 다시는 행상을 하지 못했다.

공연을 무료로 볼 수 있는 망명학생

나는 공산당 점령 지역을 오간 것이 너무나도 무모한 행동이라는 것을 알았지만 긍정적으로 생각하려 했다. 소지주 신분이었지만 남을 해한 적도 없고, 공산당에 죄를 지은 일도 없는데, 무서울 게 뭐가 있단 말인가?

두 차례의 사업에 성공해 여윳돈이 생긴 나는 망명학교에서 여유롭게 지낼 수 있었다. 워낙 놀기를 좋아했던 나는 여름방학 동안 수업에 나가지 않고 친구들과 거리를 쏘다니거나 영화와 공연을 보는 등 아주 만족스러운 나날을 보냈다. 당시 망명학생이나 전방에서 싸우다 다친 상이군인은 무료로 공연장이나 극장을 이용할 수 있었다. 그 때문에 관람객의 절반은 상이군인 아니면 망명학생이었다.

어느 날 상이군인과 망명학생이 공연장에서 자리다툼을 벌이다 충돌이 일어났다. 상이군인은 자신들은 전장에서 목숨 걸고 피 흘리며 싸웠으니 무료 혜택을 누리는 것이 당연하지만 학생은 아무 하는 일도 없이 정부의 혈세를 낭비하며 공연이나 보러 다니면서 왜 자신들의 자리를 빼앗느냐며 불만을 토로했다.

양측에서 고성이 오갔고, 점점 갈등이 치열해지다 종국에는 몸싸움으로 번졌다. 망명학생은 열 명 남짓이었으나 상이군인은 스무 명이 넘었고, 게다가 지팡이를 가지고 있어서 학생들은 고전을 면치 못했다. 그러나 다음 날 학생들은 대대적으로 집결해 다시 싸움을 벌였고, 이번에는 상이군인 측이 크게 패배했다.

당시 망명학생은 샤관에 있는 대학생, 중학생을 합쳐 5,000명 이상이었는데, 공산당 지하 조직원들이 기회를 틈타 이들을 와해시키려 했다. 그들은 정부의 지원이 미흡하다는 이유로 도발을 조장했고, 몇몇 학생이 들고 일어났다. 이는 점점 학생운동으로 번졌고, 학생들은 자주 싸움을 벌이며 문제를 일으켰다. 그리하여 정부 측에서는 난징에서 상하이에 이르는 각지의 망명학교를 저간철도[浙贛鐵道, 저장 성(浙江省) 항저우(杭州)에서 후난 성(湖南省) 주저우(株州)에 이르는 철도_옮긴이]를 이용해 각 현과 시에 정착시키고 학생을 분산시켜, 모여서 분란을 일으키지 못하도록 조치를 취했다.

장티푸스에서 살아남다

1949년 말, 쉬저우로 돌아가 고향의 소식을 들으려던 차에 안후이 성(安徽省) 쑤 현(宿縣) 남부에서 공산당과 국민당의 치열한 전투가 벌어졌다. 쉬저우와 방푸(蚌阜)에서도 전쟁이 벌어진 후였다. 전쟁이 시작될 무렵 나는 마을의 민가를 빌려 머물고 있었는데, 밖으로 나가지 않으면 위험에 처할 일은 없었다. 포성이 잠시 멎었을 때 전쟁터를 떠나고 싶었던 나는 마을을 벗어나자마자 전쟁의 참혹상을 목격했다. 눈을 돌리는 곳마다 시체가 널려 있었다. 밤에는 광야에서 잠을 청했는데, 겨울 한기가 뼛속까지 파고들었다. 시체들은 얼어 딱딱했으며, 부패한 냄새도 나지 않았다. 나는 죽은 이들을 향해 고개를 숙였다.

"미안해요. 날이 추우니 날 좀 도와줘요."

시체 두 구를 끌어와 그 사이에 눕고, 다시 한 구를 가져와 베개로 삼으니 두려움이 사라졌다.

'무서울 게 뭐 있어? 죽은 사람이 이렇게 많은데.'

나는 이렇게 생각했다. 전방은 사상자가 널린 전쟁터였으며, 후방에 있는 민가의 상황은 잘 알 수가 없었다. 그때 나는 가족도, 나의 앞날도, 그 무엇도 생각할 수 없었다. 격동의 시대에 어떻게 한목숨 건질지, 어떻게 살아 나갈지만 궁리했다. 그 후로는 그 무엇도 두렵지 않았다. 다만 전쟁터에서 빠져나갈 일이 걱정이었다.

나는 스스로가 망명학생이 아닌 난민일 뿐이라고 생각했다. 나는 넘어지면 다시 일어나고, 또 넘어지면 다시 일어나며 하루빨리 학교로 돌아가기만을 바랐다. 도중에 붙잡혀 군인이 되는 것만큼은 정말로 피하고 싶었다.

나는 간신히 전쟁터를 빠져나와 학교로 돌아갔지만, 다시 생사의 위기에 처할 줄은 꿈에도 몰랐다. 당시 학교에는 장티푸스가 유행해 20여 명이 감염되고, 이미 열 명 가까이 사망한 상태였다. 나도 감염되어 오래도록 고열에 시달리며 정신을 차리지 못했다. 다행히도 학교 의사가 교육부에 페니실린을 신청해 두었고, 같은 진상 현 출신인 교장이 특별히 나를 보살피며 매일 주사를 놓아 주었다. 더욱이 친구들이 밤낮으로 간호해 주며 지극정성으로 20여 일을 돌본 덕에 목숨을 부지할 수 있었다.

나는 병이 완쾌된 후 겨울방학이 되자 저장 성 룽취안 현(龍泉縣)의 외조카를 찾으러 갔다. 나는 공공기관에서 발급한 망명학생증을 지니고 기차와 버스를 탔는데, 전부 무료였다. 또한 순박하고 호의적인 시골 사람들이 식사를 대접하거나 묵을 방을 내주고, 심지어는 쌀과 돈을 들려 보내는 등 여정이 매우 순조로웠다. 하지만 남쪽으로 가서 외조카를 찾겠다는 계획이 40여 년간 고향 땅 한 번 밟아 보지 못하는 타향살이의 시작이 될 줄은 그때는 미처 알지 못했다.

남쪽을 향해 쑤이창 현(遂昌縣)에서 룽취안 현까지 20리를 걷는 동안 굶주림과 목마름에 시달리던 나는 길가의 숲 속에 단지가 여러 개 놓여 있는 것을 보았다. 북방에서처럼 간장이나 음식을 담는 용도로 사용하는 줄 알고 열어 보았더니 안에 들어 있는 것은 유골이었다. 나는 단지 앞에 향이 놓여 있는 것을 보고서야 남쪽 지역의 장례 풍속이라는 것을 알았다. 하지만 두려움은 전혀 느껴지지 않았다. 전쟁에 단련되어 담력은 점점 커졌다.

윈허 현(雲和縣)으로 가는 길에 공연하는 소리가 들리자 나는 잠시 들러서 보고 가기로 했다. 밥은 나중에 먹어도 되지만 공연은 이 시간을 놓치면 끝나 버리기 때문이었다.

사당으로 들어가니 사람이 아닌 꼭두각시 인형이 공연을 하고 있었는데, 북쪽에서는 한 번도 본 적 없는 광경이라 매우 신선했다. 인형은 대략 서너 살배기 아이만 했으며, 옷, 탈, 신발이 모두 새로웠다. 인형을 조종하는 사람은 높은 단상에 올라가 있어 관객들은 볼 수가 없었으며, 인형의 동작이나 표정이 아주 자연스러워서 스스로 움직이는 것만 같았다. 대사도 아주 우아했으며, 표준어와 방언이 섞여 있었다. 그날의 공연은 〈서상기(西廂記)〉로, 주인공이 장원급제하여 돌아오는 대목은 특히 압권이었다. 나는 배고픈 줄도 모르고 극에 빠져들어 흥미진진하게 감상했다.

공연이 끝나자 허기가 몰려왔는데, 이미 11시를 넘겨 문을 연 가게가 없었다. 공연을 같이 본 사람에게 물으니 한 어르신의 집에 데려다 주었다. 주인은 목동을 집으로 돌려보내고 그가 쓰던 작은 방 한 칸을 내주고는 음식을 대접해 주었다.

다음 날 나는 전날 열린 공연이 신에게 바치는 것으로 1년에 한 번밖에 하지 않는다는 사실을 알고는 운이 참 좋았다고 생각했다.

다시 폭풍 전야

원허 현에 다다를 때까지는 특별한 어려움이 없었다. 나는 며칠 전 공산당이 다리를 폭파해 버린 것을 모르고 아무 생각 없이 건너가려고 했는데, 그 모습을 보고 수상하다고 생각한 원허 현 대장이 나를 붙잡아 공산당에 넘겼다.

나는 아홉 명쯤 되는 사람들과 열 평도 채 안 되는 감옥에 갇혔는데, 너무 좁아 잠을 잘 때는 몸을 웅크려야 했다. 취조를 당할 때 나는 망명학생의 신분을 밝히고, 소속 학교와 교장, 교무 주임, 학교 친구 이름을 전부 댔으며, 현 대장은 학교 측에 편지를 보내 진위 여부를 확인했다. 그때는 이미 간이 커지고 용기도 생겼을 때라 나는 학교 측에서 반드시 나를 빼내 줄 것이라 믿었다.

2주가 지나자 나의 신분을 확인하는 편지가 도착했고, 나는 풀려날 수 있었다. 나는 감옥을 나갈 때 몸에 지니고 있던 비단 저고리를 팔아 얻은 은전 두 냥으로 먹을 것을 사 감옥 친구들과 간수들에게 나눠 주었다. 나에게 감동받은 한 간수는 작은 목소리로 가지 말라고 이른 뒤, 오늘 밤 자신의 집에서 묵고 다음 날 가라고 권했다. 간수는 놀랄 만한 이야기를 전해 주었다. 당시 장정을 팔아넘기면 두둑한 보상을 받을 수 있었기 때문에 내가 출소하면 감옥을 관리하는 반장이 나를 붙잡아 군대에 보낼 생각이라는 것이었다. 나는 간수의 이야기를 듣고 그의 집에서 하룻밤을 묵고, 다음 날 간수 가족의 안내를 받으며 걸어서 현 경계에 이르렀다.

나는 결국 룽취안 현에 도착해 외조카를 만났다. 외조카는 고향에 있을 때는 교사였지만, 피난을 떠난 후에는 교사로 일할 곳이 없어 먹고살기 위해 나무를 베는 힘든 일을 하고 있었다. 검게 그을고 빼빼 마른 외조카를 본 나는 옛날의 고상한 모습과는 너무 달라진 모습에 가슴이 아파 눈물을 뚝뚝 떨어뜨렸다. 외조카는 처음에는 아무리 용을 써도 나무는 꿈쩍도 안 하고 어깨만 아팠지만, 하다 보니 점점 익숙해졌다고 말했다. 그러면서 "죽기 전에 집에 돌아갈 수나 있으려나……" 하고 한탄했다.

그런 외조카에게 나는 위로의 말을 건넸다.

"지금 정세가 급박하게 돌아가고 있고, 공산당이 점점 진격해 오고 있으니까 곧 집으로 돌아갈 수 있을 거야."

나는 이 말이 씨가 될 줄은 꿈에도 몰랐다. 공산당의 세력은 점차 뻗어 나가 남쪽 지역을 집어삼켰고, 결국 중국 전체를 점령해 외조카는 정말로 집에 돌아가게 되었다.

나는 외조카를 보고 난 후 학교로 돌아가고 싶은 마음에 북쪽으로 가서 장산(江山) 역에서 열차를 타고 장쑤 성(江蘇省) 우진(武進)으로 돌아가려고 했다. 저장 성과 푸젠 성(福建省)의 경계 지점에 이르자 피난 행렬로 길이 꽉 들어찼다. 게다가 피난민들은 나와 반대 방향으로 움직이고 있었다. 마치 폭풍 전야 같은 분위기에 나의 마음은 흔들렸다.

장산 역에 도착했지만 병사들로 꽉 차있어 기차를 탈 수 없는 지경이었다. 엄청난 인파가 남쪽으로 향하는 것을 보니 아무래도 학교도 해산했을 것 같다는 생각이 든 나는 피난 행렬에 합류하기로 결정했다. 방향을 바꾸자 나의 인생 항로도 바뀌었다. 나는 결국 고향을 등지고 떠나게 되었다.

군인 위장을 하고 민 강을 건너다

나는 장산 역에서 피난 행렬과 함께 남쪽으로 향하다 리좡(李莊)에서 대열에서 이탈한 대대장의 부인을 알게 되었는데, 그녀는 푸저우 성(福州省)으로 가서 친지를 찾을 생각이라고 했다. 부인은 나에게 안전을 위해 부부로 위장하고 다니자고 제의했다.

부인은 나에게 남편의 중령 계급장이 달린 군복을 입혀 주었고, 나는 그 덕분에 군인으로 징발될 염려가 없었다. 부인은 "얌전한 말투는 쓰지 않는 게 좋아요. 좀 더 군인처럼 행동하세요."라고 충고해 주었는데, 나로서는 쉽지 않은 일이었기에 말수를 줄이는 수밖에 없었다.

나는 매일매일의 강행군에 녹초가 되었고, 밤에 길거리에서 노숙할 때면 비가 쏟아져도 모를 정도로 잠에 빠졌다. 늘 잠이 부족해 피곤한 상태였다. 부족할 것 없이 풍족한 삶을 누려 온 나는 체력이 점점 고갈되어 가는 것을 느꼈다.

하루는 군대에서 탈출한 병사가 힘이 빠져 도망가지 못하고 결국 총살되는 것을 목격했다. 속으로 '어쩌면 저렇게 잔인할까' 생각하는데, 나의 마음을 알아채기라도 한 듯 부인이 말했다.

"기밀 누설의 우려가 있기 때문에 반드시 사살해야 해요."

기밀이라는 것이 대체 무엇이고, 부대의 목표는 또 얼마나 크기에 그런 조치를 취한단 말인가? 어디로 행군하든 사람들 눈에 띄는 마당에 말이다. 때로는 낙오된 병사가 백성에게 살해당하는 일이 벌어지기도 했다. 군부대에서 물건을 약탈하는 바람에 백성들은 군인이라면 치를 떨고 있었기 때문이다.

나는 어머니의 장례를 치르는 아들, 배가 남산만 한 아내를 둔 남편을 군인들이 무지막지하게 군대로 끌고 가는 모습을 보고 동정심을 느꼈다. 그러는 한편 나도 군복을 입지 않았다면 진작 끌려갔을 것이라고 생각했다.

이윽고 어렵사리 난핑(南平)에 도착했다. 증기선을 타고 민 강(閩江)을 따라 푸저우 성으로 갈 수 있었지만, 일반 백성들은 배에 탈 수 없었다. 대대장의 부인은 친척의 도움으로 배에 탈 수 있었는데, 헤어지기 전에 나에게 돈을 얼마간 쥐여 주려 했다. 하지만 먹고 자는 데 남에게 신세

질지언정 남의 돈은 받지 말라는 어머니의 가르침이 떠올라 돈은 받지 않았다.

나는 푸저우로 갈 수 있는, 일고여덟 명이 탈 수 있는 작은 나무배에 몸을 실었는데, 뜻밖에도 배는 얼마 가지 못해 암초를 만났고, 모두 물에 빠지고 말았다. 나는 수영을 할 줄 몰라 잔뜩 긴장한 채로 양팔을 허우적거렸고, 다행히도 몇 분 후 물에 뜨는 방법을 터득했다. 그렇게 한동안 물에서 표류하는 동안 나는 죽고 사는 문제를 떠나 본능적인 의지로 필사적으로 버텼다.

물에서 표류한 지 20분쯤 됐을까? 나는 탁자같이 생긴 바위를 발견했고, 가까스로 그 위로 기어 올라갔다. 물이 허리까지 찼지만, 겨우 한숨 돌릴 수 있었다. 정신을 차리고 보니 물에 빠져 죽은 시체들이 물 위를 떠다니는 것이 보였다. 만약 이 바위가 아니었다면 나 역시 이 시체들처럼 되어 가족과도 만나지 못하고 세상을 떠났으리라. 아버지와 어머니를 떠올리자 나의 눈은 어느새 그렁그렁 눈물로 가득 찼다.

한바탕 울고 난 후 나는 차분히 구조를 기다렸다. 지나가는 배가 있기는 했지만, 주변 수심이 얕고 바위가 너무 많아 가까이 접근하기가 어려웠다. 게다가 나는 수영을 할 줄 몰랐으니 배를 가만히 쳐다볼 수밖에 없었다. 사실 구해 주려고 마음만 먹으면 방법이 있기 마련이지만 혼란통에 모두 자기 몸 하나 건사하기 바빠 나에게 신경 쓸 여력이 없었다.

밤에 비가 내리자 수위가 가슴까지 올라와 나는 일어설 수밖에 없었다. 추위와 배고픔에 시달렸지만 다행히 날이 밝자 물이 빠졌다. 그렇지 않았더라면 버티지 못하고 다시 물에 빠졌을 것이다.

다행히도 나의 체력이 고갈되기 전에 배 한 척이 나를 구하러 왔다. 구사일생의 순간이었다. 봄이었지만 날이 아직 쌀쌀한 데다 입고 있던 옷이 젖어 너무 추웠지만, 젊고 건강해 육지에 다다른 후 곧 기운을 차리고 다시 길을 재촉할 수 있었다.

피난길에서는 백성이든 망명학생이든 낙오된 군인이든 모두 난민일 뿐이다. 나는 산 넘고 물을 건너며 비바람을 맞고 때로는 밥도 굶으며 앞으로 나아갔다. 이따금씩 집에 돌아가서 가족을 만날 수 있을까 하는 생각에 가슴이 아려 왔다.

결국 군대에 끌려가다

우여곡절 끝에 푸저우에 도착한 나는 길에서 국방부의 포고문을 보았다. 고교 졸업 이상의 젊은이가 3개월간 부대에서 정치공작 요원 훈련을 받으면 중위에 해당하는 직위를 부여한다는 내용이었다. 나는 불러 주는 곳이 있다면 간다는 마음으로 지원하고, 난징에서 교육을 받기만을 기다렸다.

그러던 어느 날 나는 한 노병과 이야기를 나누고서야 내가 속았음을 알았다. 난징에서 부대로 끌려가 군인이 되고 싶지는 않았기에 나는 다음 날 바로 도주했다. 하지만 오래지 않아 결국 군대에 붙잡혀 교통경찰부대에 배치되었다. 이전의 철도경찰이 공산당에 점령된 후 국민당 측에서 새로 조직한 부대였다. 다른 일반 부대처럼 엄격하지는 않았지만, 나는 전쟁을 원치 않았기에 밤에 또다시 도망쳤다.

나는 민 강을 떠나기 아쉬워 어디로 갈지 고민하다가 분뇨를 수거하는 배에서 일꾼을 모집하는 것을 보았다. 예전에는 분뇨를 변기에서 처리하는 것이 아니라 분뇨통을 사용한 후에 아침에 배에 비웠다. 나는 선주에게 어떤 일이라도 좋고 대우도 따지지 않을 테니 자리만 만들어 달라고 부탁했다. 선주는 분뇨를 수거할 필요도 없고, 배에서 일하지 않아도 된다며, 연안에 머무르다가 장부를 정리할 때만 배에 오르면 된다고 했다. 이렇게 잠시나마 머무를 곳이 생겼다.

분뇨 수거 선적에서 일하는 동안 나는 잠시 자유를 누릴 수 있었다. 어려서부터 놀기를 좋아하고 떠들썩한 곳을 좋아했지만 그때는 즐길 만한 것이 없었다. 하루는 구경이라도 할 생각에 번화가에 나갔다가 거기서 다시 교통경찰부대에 붙잡히고 말았다. 이번에는 칭톈 현(靑田縣) 가오후(高湖)의 목재 공장까지 끌려갔고, 같이 붙잡힌 병사와 한방에 갇혔다. 먹고 지내는 데는 불편함이 없었지만, 행동의 자유가 없었다. 아무래도 군인은 되고 싶지 않았지만, 연속으로 같은 부대에 붙잡힌 후 나는 운명에 순응하기로 결심했다.

잠시 군대에 속해 있었지만 산둥 사람 특유의 개성과 학문하는 사람의 기질 때문에 모든 일에 도리를 따졌던지라 군대의 복종 문화와는 맞지 않았다. 다행히도 같은 산둥 출신인 중대장이 나의 학식을 높이 사 사서를 도와 공문을 정리하게 했다.

부대는 푸젠 성 마웨이(馬尾)의 해군 조선 공장으로 진지를 옮겼는데, 주둔지는 저장 성 단산(舟山)이었다. 나는 사소한 일로 대대장에게 욕을 듣고 구타를 당한 일을 계기로 군대의 관리 체계에 불만을 품고 군대를 나갈 생각을 하기 시작했고, 결국 교통경찰부대를 박차고 나왔다. 그래도 중대장이 잘 대해 주었던 것이 떠올라 특별히 중대장과 연장(連長, 중대장과 거의 비슷한 직책_옮긴이)에게 사과의 편지를 남겼다.

남쪽으로 향해 취안저우 시(泉州市)의 수이터우 진(水頭鎮)에 도착했을 때 또다시 교통경찰부대와 맞닥뜨렸다. 이렇게 여러 번 마주치다니, 이게 정말 운명인가 하는 생각이 들 정도였다. 대대장은 내가 군인 체질이 아니라는 것을 알고는 군인이 되라고 하지는 않았지만, 최소한 배는 곯지 않을 테니 부대를 따라다니라고 말했다. 그래서 나는 다시 부대로 돌아갔다. 그때 수이터우 진은 몹시 혼란스러웠다. 맞은편에는 산이 있었는데, 산 하나에 공산당과 국민당이 근거리에 대치하고 있어서 공산당의 공격을 받을 가능성이 컸다.

구사일생으로 목숨을 건지고 뜻밖의 행운을 거머쥐다

당시 국민당군은 산봉우리에, 공산당군은 산 아래에 주둔했는데, 공산당의 화력이 강하고 병력도 많아 국민당은 패배와 후퇴를 거듭했다. 내가 소속된 제2연대와 공산당군이 정면으로 교전을 벌였을 때 공산당의 폭격을 받았고, 동료가 총에 맞는 것을 본 나는 부축해 주려고 한달음에 곁으로 달려갔다.

나는 동료를 부축한 채로 30여 리를 걸어 부대의 집합 장소로 갔다. 요오드팅크를 받아 상처를 소독하는데, 동료는 참지 못하고 울음을 터뜨렸다. 나는 동료를 위로했다.

"왜 우는 거야? 자네는 운이 아주 좋은 거야."

원래 80여 명이었던 인원 중에 그날 겨우 절반만 살아남았다.

연장은 내가 폭격 속에서도 아무런 부상 없이 무사히 빠져나오고, 총상을 당한 동료까지 구해 낸 것을 보고 명줄이 길다며 놀라워했다. 그는 나에게 포탄보다는 기관총을 더 조심해야 한다고 일러 주었다. 포탄은 한 지점에 떨어지지만 기관총은 비처럼 퍼붓기 때문에 '신병은 포탄을 겁내고, 노병은 기관총을 두려워한다'라는 말이 있다고 했다. 나는 기관총이든 포탄이든 두렵지 않았다. 그보다는 공산당에 붙잡혀 가는 것이 무서워 그런 용기가 난 것이었다.

샤먼(厦門)에 도착한 나는 학교로 돌아가고픈 마음에 또다시 부대를 탈출했고, 이번에는 다른 부대에 붙잡혀 그곳에 소속된 채로 산터우(山頭)까지 갔다.

한번은 비가 내렸는데, 취사병 허(何) 씨가 불이 붙지 않자 닥치는 대로 종이를 태워 불을 지폈다. 무슨 종이인가 살펴보니 놀랍게도 홍콩달러였다. 그 부대에서 며칠 전에 성냥 공장을 약탈했는데, 허 씨도 금고에서 홍콩달러, 미국달러를 몇 보따리나 챙겼다. 하지만 홍콩달러로 시장에서 물건을 사려고 해도 받아 주지 않자 홧김에 가져다 태운 것이었다.

나는 허 씨에게 그건 홍콩달러고, 이제 큰 부자가 된 것이라고 알려 주었다. 허 씨는 그래도 이해하지 못한 듯 도시락 통에 홍콩달러를 넣어 나에게 건넸다. 홍콩달러의 가치를 모르는 허 씨를 이용해 득을 보고 싶지는 않았던 나는 돈을 돌려주었지만, 그는 한사코 받지 않았다.

훗날 허 씨 또한 타이완으로 건너왔는데, 위생부대에서 잡부로 일했지만 생활이 무척 고되었다. 1967년에 허 씨와 재회한 나는 크게 한턱 대접하고, 3만 타이완달러를 건넸다.

"왜 나한테 이리 큰돈을 주는 건가?"

"신경 쓰지 말고 써!"

그건 허 씨의 돈이었다. 나는 단 한 번도 남에게 이득을 취한 적이 없었다.

배를 타고 바다를 건너

평후(澎湖)로 건너가기 위해 배를 기다리는 동안 사병들은 민가로 가 먹을 것을 구했다. 나도 여기에 동참했지만, 예의를 지키고 아무리 배가 고파도 제사용 공물에는 손을 대지 않았다.

드디어 배가 도착했다. 먼저 쪽배에 탄 뒤 큰 배에 올라야 했는데, 쪽배에 몸을 싣고 나자 가슴이 먹먹해졌다. 이미 집을 떠나 멀리 와버리기는 했지만, 이렇게 바다를 건너가 버리면 더 이상 같은 땅을 밟을 수 없다는 생각에 영영 헤어지는 기분이 들었다.

마지막으로 배에 오른 병사는 뚱뚱한 데다 짐을 잔뜩 갖고 있어 배에 쉽게 기어오르지 못했다. 사람들은 그 모습을 보고 그를 낙오시키려고 했지만, 나는 한배에 탄 식구를 포기할 수는 없다며 그에게 지니고 있는 물건을 모두 버리라고 한 후 밧줄을 던졌다. 열 명이 넘는 병사가 힘을 모아 그를 끌어올렸고, 그는 배에 오르자마자 울음을 터뜨리며 모두에게 감사 인사를 건넸다. 나는 귀찮고 힘들더라도 구할 수 있는 사람은 되도록 구해 주어야 한다고 믿을 뿐이었다.

태풍이 불어와 배가 항로를 벗어나 항해 기간이 일주일가량 길어지는 바람에 식량 가격과 물 값이 천정부지로 치솟았다. 건포도 작은 봉지가 은전 한 냥에 팔릴 정도였다. 나는 배에 오르기 전에 먹을 것을 준비하지 못했지만, 먹을 것이 있었다. 뚱뚱한 병사가 버리지 않은 작은 가방에 뼈를 발라 소금에 절인 닭고기가 있어 매일 한 덩이씩 나눠 주었던 것이다.

1949년 5월, 배를 보수하기 위해 다덩(大登) 섬에 잠시 머물렀다. 나는 작은 배로 진먼(金門)까지 갈 수 있다는 이야기를 듣고 은전 한 냥을 주고 작은 목선을 빌렸다. 평소라면 다섯 번 왕복할 수 있는 금액이었다.

그러나 그곳은 피신할 곳이 못 되었다. 7월에 진먼에 도착했는데, 10월 25일에 구닝터우(古寧頭)에서 치열한 전투가 벌어져 참혹할 정도로 사상자가 많이 발생했다. 크게 놀란 나는 진먼도 오래 머무를 곳이 아니라고 생각했다.

나는 어떤 신분증도 지니고 있지 않아서 일자리를 구하는 데 어려움을 겪었다. 처음에는 일반 백성들에게 글을 가르치는 곳에서 교사로 일했는데, 봉급이 아주 박했다. 나중에 다시 교통경찰부대와 마주쳤고, 문서 관련 일을 하면서 시과 산(西瓜山)에 1년 정도 머물렀다.

하루는 랴오뤄 만(料羅灣)에서 장갑부대 군인들이 방어 진지를 옮기는 것을 보고 한 군인에게 어디로 가는 것이냐고 물었다. 그는 이렇게 대답했다.

"타이완으로 가는 거요."

기지를 발휘해 타이완으로 건너가다

나에게 타이완은 교과서에서나 들어 본 이름에 불과했다. 좋은지 나쁜지는 알 수 없었지만, 일단 전쟁터에서 벗어나고 싶다는 마음에 후방으로 가기 위해 기회를 노렸다. 그러던 어느 날, 같은 마을에 사는 전차를 수리하는 기술자가 배에 오르는 것을 보았다. 일면식도 없는 사람이었지만, 사람들이 모두 기술자라고 부르는 것을 보고 그가 기술자라는 것을 알 수 있었다.

나는 전 재산을 몸에 지닌 채 선박의 경비병에게 다가가 기술자의 동향이라고 소개하고는 멀리 있는 기술자를 향해 손을 흔들었다. 경비병은 서로 아는 사이라고 생각하고 30분 후에 배가 출발하니 얼른 다녀오라고 말하며 나를 들여보내 주었다.

나는 배 밑부분으로 간 뒤 양쪽으로 마대를 높게 쌓아 둔 곳으로 가 그 위에 누웠다. 조금도 긴장되지 않았다. 만약에 걸렸을 때를 대비해 생각해 둔 말도 있었다.

"뭐 큰일이라고 그럽니까? 꼭 내려야 한다면 나를 진먼으로 돌려보내 주시오!"

이렇게 생각하다가 점점 잠에 빠져들었다.

다음 날 아침, 나는 누군가가 "타이완 지룽(基隆)에 도착했어요."라며 깨우는 소리에 눈을 떴다. 화장실에서 세수도 하고 소변도 본 뒤 취사실에 가보니 허름한 옷을 입은 사람들이 아침을 먹고 있었다. 나는 차분한 표정으로 만두를 가져와 웅크리고 앉아 먹었다.

아침 식사를 마친 나는 배에서 내릴 기회를 엿보았지만, 신분증이 없어 경비병의 검문을 통과하지 못할 것이 분명했다. 9시가 지나자 장갑부대 사령관의 부인이 군악대원 수십 명을 이끌고 배에 올라 위문했다. 그들은 신분증 검사를 받지 않았으며, 모두 손에 작은 국기를 들고 있었다.

나는 혼란스러운 틈을 타 국기를 흔들고 노래를 부르면서 군악대원을 따라 배에서 내렸다.

"하늘이 무너져도 솟아날 구멍은 있는 법이야!"

나는 몹시 기뻤다. 하늘이 기회를 주었고, 그 기회를 놓치지 않았던 나는 이렇게 타이완으로 밀입국할 수 있었다.

타이완에서 다시 시작된 인생

신분증이 없으면 일자리를 구할 수 없을 뿐 아니라 경찰에 붙잡힐 위험이 있었다.
농촌 지역은 조금 안전했지만, 민난어를 할 줄 몰라 한 농가에서 파종 일을 할 수밖에 없었다.

1951년 4월, 나는 마침내 전쟁으로부터 멀리 벗어나 타이완에 도착했다. 나는 지룽을 떠나 장화로 건너가 바과 산(八卦山)의 풍경을 감상하고 거리를 쏘다녔다. 거의 난민과 다름없는 생활이었다. 신분증이 없어 여관에 묵을 수 없었기 때문에 거리의 방랑자처럼 사당이나 빈집에서 밤을 보냈다.

신분증이 없으면 일자리를 구할 수 없을 뿐 아니라 경찰에 붙잡힐 위험이 있었다. 보증인을 내세워 간첩이 아님을 증명하면 훈계를 받는 선에서 끝나지만, 최악의 경우 총살에 처해질 수도 있었으니, 나는 최소한 신분증은 가지고 있는 부랑자보다 더 비참한 처지였다.

나는 농촌 지역이 더 안전하다는 판단을 내리고 허메이 진(和美鎭)에 남기로 했다. 나는 타이완 지역의 방언인 민난어(閩南語)를 할 줄 몰랐지만, 학생에게 통역을 부탁해 한 농가에서 파종 일을 얻을 수 있었다. 그곳에서 파종 일을 하며 두세 달을 머물렀다.

간첩으로 의심받다

나는 가오슝에 산둥 사람이 많이 있다는 이야기를 듣고 또다시 남쪽으로 내려가 린더관(林德官) 지역에 머물렀다. 그곳에서 우연히 고향 사람을 만났고, 이웃 훙(洪) 씨 부인의 소개로 제2군단의 설거지 일을 시작했다.

첫 출근 날, 보도원장이 낯선 나를 경계하며 지금까지의 이력을 캐물었다. 그는 내가 신분증을 지니고 있지 않다는 것을 들추어냈고, 그 때문에 첫 번째 취직은 무산되었다. 장화로 돌아가는 수밖에 없었다.

돌아가던 중 바과 산에서 장갑부대의 소위와 마주쳤는데, 그는 나에게 무슨 일을 하느냐고 물었다. 보아하니 믿을 만한 사람인 듯해 나는 솔직하게 신분증이 없는 탈영병 신분이라 일을 구할 수 없다고 말했다. 소위는 다른 사람의 신분을 빌리지 않겠느냐고 제의했다. 장갑부대 노병의 것인데, 쉬방(쉬저우와 방푸) 전투에서 실종되어 생사를 확인할 길이 없으나 기록은 삭제되지 않았다고 했다.

나는 '신분'을 간절히 바랐다. 더 이상 경찰을 피해 다니고 싶지 않았던 나는 장갑부대 제3총대 31대대의 '황스위(黃士昱)'가 되었다. 부대에 머무르면서 피난 생활은 일단락되었다. 큰 고생을 겪었지만 나는 긍정적인 마음가짐을 잃지 않았다. 고생을 겪지 않았더라면 삶에 대한 의

지와 희망을 이어 나가지 못하고, 지금처럼 금방 만족하며 행복을 느끼지 못했으리라.

나는 사령실에서 공문을 처리했는데, 그때 상부의 지도원(정치지도원으로서 정치적 임무를 담당한다_옮긴이)이 의심을 품기 시작했다. 당시 보통 사람들은 군인이 되려 하지 않았는데, 한 달 봉급이 7.5타이완달러에 지나지 않는 데다 일도 고된 곳에 들어온 것이 이상하다고 생각했던 것이다. 영화를 보는 데도 1타이완달러는 들었다. 지도원은 나의 나이나 외모로 볼 때 무엇을 하든 군인보다는 나은 일을 할 수 있을 만한 사람이라고 판단하고는 간첩으로 침투한 사람이라 의심하기 시작했다.

지도원은 매일 밤 나를 찾아와 동태를 살폈으며, 내가 휴가를 가거나 외출할 때면 정치군사(군대 내에서 사상적인 면을 감시하고 지도하는 역할을 담당한다_옮긴이)를 보내 귀찮게 만들었다. 도저히 참을 수가 없었던 나는 지도원에게 불만을 토로했다.

"나같이 결백한 사람이 이런 수모를 당하다니, 정말 억울합니다. 계속 이렇게 사느니 떠돌아다니는 게 낫겠네요."

그 후 지도원은 더 이상 밤마다 찾아와 귀찮게 하지는 않았지만, 외출할 때면 여전히 정치군사를 보내 감시했다. 그때 나는 내가 머지않아 지도원의 자리에서 같은 일을 하게 되리라고는 꿈에도 생각지 못했다. 어쩌면 이런 수모를 겪었기에 훗날 똑같은 잘못을 저지르지 않았는지도 모른다.

다투며 깊어진 정

부대에는 한때 명문화되지 않은 규정이 있었는데, 식사할 때 간부든 병사든 수저를 들기 전에 "일용할 양식을 주신 조국에 감사합니다!"라고 외치는 것이었다. 이 말을 외칠 때마다 나는《예기(禮記)》에 나오는 '군자는 모욕적인 음식을 먹지 않는다'라는 말이 떠올라 눈물이 그렁그렁 맺혔고, 심지어는 밥을 넘기지 못할 때도 있었다. 나는 이 때문에 반항 행위를 한다며 사상에 문제가 있는 것으로 간주되어 고발당했다. 나는 잔뜩 격앙된 어조로 말했다.

"봉급도 적고 기율도 엄격하지만 집을 떠나 의지할 곳이 없어 하는 수 없이 입대했습니다. 하루 종일 녹초가 되도록 일하고, 거친 식사마저도 나눠 먹으면서 조국에 감사해야 한다니, 정말 참담한 심정입니다. 반항한다고 생각해도 좋고, 간첩이라고 생각해도 좋습니다. 사실을 있는 그대로 말할 뿐이니까요. 마음에서 우러나오지 않는 이런 제도는 오래 가지 못할 겁니다."

사실 나만 이런 생각을 한 것이 아니라 다들 같은 마음이었다. 모두의 반응이 탐탁지 않자 한 달 후 이 규정은 폐기되었다. 지도원은 내가 내뱉은 말이 모두 옳다고 생각되자 다시는 실눈을 뜨고 의심하지 않았다.

그때 간부와 병사들은 배급표를 받았는데, 만일 한 단위가 외부로 차출되면 지급받은 배급표 중에서 매일 먹을 분량만큼 제출해야 했다. 나는 연대 회의에서 연대를 방문한 손님이라도 간부와 병사를 막론하고 식량을 무상으로 제공하지 말고 개인별로 배급표를 제출하게 해야 한다고 주장했다. 몇몇은 반대 의사를 밝혔지만, 나의 제안은 결국 통과되었다.

반대 의사를 밝힌 노병들은 심기가 불편해졌고, 회의가 끝난 후 나를 불러냈다. 그러고는 왜 자신이 대단한 사람이라도 되는 양 비판하는 것이냐며 따져 물었다.

나는 모두의 표결에 따라 결정된 것이지 단독으로 결정한 사항이 아니니 화내지 말라고 인내심을 발휘해 그들을 설득했다. 그러나 노병들은 분을 삭이지 못하고 험한 말을 쏟아 냈다.

"입대한 지 얼마 안 된 새파란 자식이! 이 몸은 일본과 맞서 싸워 인도까지 쫓아낸 몸이라고!"

남에게 험한 소리 듣는 것을 참지 못하는 나는 화가 치밀어 올랐다. 나는 지지 않고 내뱉었다.

"입대 하루 차든 10년 차든 똑같습니다. 하루 차든 10년 차든 전쟁터에서 목숨이 하나뿐인 건 마찬가지 아닙니까? 군대 밥 먹은 지 오래됐다고 전쟁터에서 죽지 않는다면 괴물이나 다름없지 않습니까? 그랬다면 일찌감치 국위 선양하는 영웅이 되고도 남았겠네요!"

나는 평소에는 과묵한 편이었지만, 한번 입을 열면 구구절절 날카로운 침이 숨겨져 있는 말을 거침없이 내뱉곤 했다. 노병은 말로는 못 이기자 화가 치밀어 올라 나무 막대기를 들고 나를 흠씬 두들겨 팼다. 나는 한동안은 반항하지 않고 매를 맞았지만, 이내 멜대를 들어 노병의 허리를 후려쳤다. 노병은 비명을 지르며 바닥에 쓰러졌다. 노병은 의무실에 후송되었고, 나는 사흘간 영창에 갇히는 처분을 받았지만, 스스로에게 잘못이 없다고 믿었기에 아무래도 상관없었다.

가난할수록 깨끗하게

나는 성격이 아주 시원시원해 날을 넘겨 가며 고민하는 법이 없었다. 노병과도 비 온 뒤에 땅이 굳듯이 서로에 대해 이해하고 정을 나누게 되었다. 노병은 골초였는데, 나는 매월 배급으로 받는 담배를 모두 그에게 주었다. 노병은 돈을 찔러 주었지만, 나는 절대 받지 않았다. 사실 노병은 꽤 괜찮은 사람이었다. 나와 충돌을 일으켰을 때 윗사람 행세하느라 처신을 잘못한 것뿐이었다.

그러던 어느 날 새로 온 대대장이 한 명씩 이름을 호명하다가 나의 얼굴을 뚫어져라 쳐다보더니 말을 걸었다. 내가 빌려 쓰고 있는 이름의 주인공 황스위가 대대장의 오랜 부하였던 것이다. 황스위의 이름을 사용하게 된 이유를 묻는 그에게 나는 전혀 속일 생각을 하지 않고 사실대로 털어놓았고, 산둥 진샹 현 출신이라고 밝혔다.

신기하게도 대대장도 한때 진샹 현에서 산 적이 있어서 그곳에 지인들이 있었다. 대대장은 고향에서 양산 진이 얼마나 먼지 묻고는 그곳에 사는 어떤 사람을 아는지 물었다. 나는 친구를 좋아하고 기억력도 좋아 그 사람이 외모는 어떠하고 집안은 어떠한지 술술 막힘없이 대답했다. 나의 거짓 없는 태도에 대대장은 흐뭇해하며 벌을 내리지 않았고, 어려운 일이 있으면 언제든지 자신을 찾아오라고 말해 주었다.

1952년, 나는 부대를 대표해 보안 훈련에 참가했고, 같은 기간에 만화대회에 출전해 3위를 차지했다. 나는 부대로 복귀한 후 총본부 표창을 받았고, 그 포상으로 시험 없이 정치공작 간부학교에 입학할 수 있는 자격이 주어졌다. 하지만 나는 사양했다. 마흔이 다 된 나이에 군인은 어울리지 않는다고 생각했던 것이다. 나는 군대를 나갈 계획을 세우기 시작했다.

그로부터 얼마 후 나는 대나무 장대를 이용한 전쟁 기술을 훈련하던 중 장대가 갑자기 부러져 높은 곳에서 전차로 추락하고 말았다. 인사불성이 된 나는 삼군 총병원으로 후송되었고, 뇌진탕과 왼쪽 허벅지 골절 진단을 받았다.

사흘이 지났는데도 다리가 너무 아프고 부상 부위가 심하게 부어오르자 나는 아무래도 심상치 않은 느낌이 들었다. 그때 의사가 작은 목소리로 부대 사람에게 하는 말을 들었다. 가장 좋은 소염제를 쓴 상태인데 그래도 좋아지지 않는다면 무릎 아래 부위를 절단해야 한다는 것이었다. 나는 다리를 잃으면 인생도 끝이라고 생각하고 친한 동료를 다급히 불러 제발 다리를 지켜 달라고 부탁했다.

동료는 나를 다른 접골사에게 데려갔다. 엑스레이를 찍어 상태를 살펴본 접골사는 부러진 뼈가 아직 붙지 않은 것뿐이라며 골절된 부위를 끌어당겨 맞춰 주면 나을 것이라고 했다. 하지만 독일에서 수입한 소염제 가격이 턱없이 비싼 것이 문제였다. 산터우에서 허 씨에게 받은 홍콩달러를 타이완달러로 바꿔 둔 것이 그때 유용하게 쓰였다. 치료로 그 돈의 절반이 사라졌다.

부대의 간부와 병사들은 눈이 오는데도 석탄을 보내 주었으며, 300타이완달러를 모금해 지도원을 통해 전달하기도 했다. 당시 300타이완달러면 고등학교 교사 한 달 치 월급에 맞먹는 돈이었다. 나를 위해 7.5타이완달러에 불과한 봉급에도 불구하고 형제와 같은 마음과 성의를 보여 준 것이다.

적잖은 감동을 받은 나는 그 자리에서 눈물을 흘리며 모두의 성의에 감사를 표했다. 하지만 집을 떠날 때의 어머니의 당부가 있었기에 돈은 받지 않기로 결정했다. 어머니는 고생을 달게 받아들이고 고되더라도 끈기를 잃지 말라고, 아무리 삶이 힘들어도 밥을 구걸할지언정 인정도 돈도 빚지지 말라고 당부했다. 특히 돈을 빚지면 갚을 수 있지만 인정을 빚지면 영원히 갚을 길이 없다고 강조했다.

"가난하면 가난한 대로 깨끗해야 한다. 사람은 남에게 빚지지 않는 한 누구나 훌륭하단다."

이때의 어머니의 몸짓과 표정까지 머릿속에 떠올라 나는 말을 잇지 못할 정도로 흐느꼈다.

스스로를 고발해 신분을 되찾다

부러진 뼈가 붙은 후 나는 목발을 짚고 걷기 시작했다. 제대 후에도 다리를 절었으며, 3년이 지나서야 정상으로 회복되었다. 당시 차라리 죽을지언정 다리 한쪽을 잃을 수는 없다고 생각한 것은 정확한 판단이었다. 치료비로 꽤 많은 돈이 들었는데, 그것을 보고 나는《대학》의 '패입패출(悖入悖出)'이라는 구절을 떠올렸다. 빨리 들어온 것은 나가는 것도 빠르다. 참으로 일리 있는 말 아닌가!

1954년, 나는 다리 부상으로 보행이 불편해 후커우(湖口)의 보충부대로 배치받았다. 그곳은 부대에서 도태된 노병들이 손 기술을 익혀 제대 후에 생계를 꾸려 나가도록 교육받는 곳이었다. 일부는 퇴역 후에 타이완의 '퇴역 군인의 집'에서 여생을 보냈다.

나는 자원 제대를 신청했는데, 인정받으려면 교관 두 명의 보증이 필요했다. 나는 원래 속한 부대의 소대장에게 도움을 요청했고, 그는 대대장에게 보증을 부탁했다. 대대장은 제대 후에 내가 불편한 다리를 이끌고 생계를 이어 가지 못해 자신을 귀찮게 할까 봐 처음에는 응해 주지 않았다. 그러자 소대장은 내가 충직하고 진취적이라며 설득에 나섰다.

"아무리 형편이 어려워지더라도 바다에 뛰어들지언정 대대장님을 찾지는 않을 겁니다. 더군다나 자오무허 같은 사람이 일자리를 못 구할 리도 없습니다."

정말로 나는 나중에 일을 구하지 못했을 때도 보증인들을 찾아가지 않았다. 가오슝 여자사범학교에서 일하게 된 후에야 감사 인사를 전하러 갔으며, 훗날 대대장의 자녀가 가오슝 여자사범학교에 진학하자 잘 돌봐 주었다. 나는 '남을 도와준 일은 잊되 은혜는 잊지 마라'라는 어머니의 말을 가슴속에 새겼다.

나는 제대 명령을 받은 후 신분을 되찾기 위해 법원에 나 자신을 문서 위조로 고발했다. 법정에서 재판관은 남의 이름을 사칭한 이유를 물었고, 나의 말을 듣고는 내가 문서 위조라는 범죄를 저질렀지만 스스로를 보호하기 위해서였고, 다른 사람에게 해를 끼치지 않았으며, 악의는 없었다고 판단하고 집행유예 1년을 선고했다. 그리고 원적과 성명을 회복시켜 주었다.

나는 신분증을 신청할 때 타이완으로 도주한 것이 가족에게 누가 될까 봐 본명 서우쉬안(守軒)을 쓰지 않고 아버지가 지어 준 자(字, 본명 외에 부르는 이름_옮긴이) '무허'를 썼다. 그 후 나는 나에게 맞지 않는 군복을 벗어 던지고, 남의 이름을 버리고 본래의 모습으로 돌아가 낯선 땅에서 새로운 인생을 펼쳐 나갔다.

3장

세상에 나아가는 마음

2011년 10월, 가오슝은 며칠 내내 비가 하염없이 내렸다. 나는 멍스다이 쇼핑센터에서 열리는 연회에 참석하기 위해 셔틀버스를 기다리고 있었다. 비는 점점 더 세차게 내리고, 길도 막혔으며, 셔틀버스를 기다리는 사람으로 가득했다. 이러다가는 늦을 것 같아 택시를 타기로 했다. 나는 학생처럼 보이는 두 청년에게 말을 걸었다.

"젊은이들, 쇼핑센터 가나? 나랑 같이 택시 타지 않겠어?"

두 청년은 의아해하며 잠시 뭐라고 답할지 망설였다.

"걱정 마. 자네들한테 돈 내라고 안 할 테니까."

그들은 운이 좋게도 좋은 사람을 만날 수 있었다며 즐거워했다.

사실 나는 오랜 세월 호의를 베풀며 좋은 사람으로 지내 왔다.

사상검열자 같지 않은 사상검열자

사상검열자는 학교의 모든 교수와 학생의 사상 문제에 관여하는데,
누군가 국가 원수를 욕하거나 정부를 비방하거나 의심스러운 행동을 하면
사상검열자가 개인의 안전 자료에 일일이 기록해야 했다.
하지만 나는 정반대로 행동했다.

1968년은 내가 가오슝 여자사범학교에 재직한 지 14년째 되는 해였다. 이듬해부터는 가오슝 사범대학으로 바뀌어 내가 담당한 실습보도실 주임이라는 직책도 역사 속으로 사라질 터였다. 가오슝 사범대학의 인사 제도는 대대적으로 개혁되었는데, 나는 아직 새로운 길을 모색하지 못했다. 그때 학교에는 마땅한 자리가 없어 다른 사람들이 몹시 초조해하며 걱정해 주었다. 나는 오히려 웃으며 말했다.

"좋은 자리는 나지 않고 나쁜 자리만 남았겠지. 잡부라도 괜찮네. 잘 할 수 있어."

이에 동료는 "주임이 잡부가 된다는 게 가당키나 한가?"라고 말했다.

나는 잡부가 된다고 해도 전혀 굴욕스럽지 않았다. 나는 중국에서 현장을 지낸 인물이 홍콩에 가서는 층계참에서 지내며 걸식하는 것을 본 적이 있었다. 나는 이렇게 답했다.

"인생이 다 그렇지, 뭐 별것 있나?"

훗날 가오슝 사범대학의 총장이 다른 학교를 소개해 주었지만, 나는 전부 거절했다. 결국 학교에는 안전실 주임 자리만 남았는데, 바로 사상검열자 역할이었다. 이 일을 하려면 보안 훈련 증서가 필요했는데, 나는 자격을 갖추어 순조롭게 사상검열자 역할을 맡게 되었다.

당시 타이완에는 백색 공포(권력자나 지배 계급이 반정부 세력 및 혁명 운동에 행하는 탄압_옮긴이)의 엄숙한 분위기가 흐르고 있었는데, 사상검열 일은 업무량이 가장 많았을 뿐 아니라 친구나 가족을 팔아야 할 때도 있어 외부의 불편한 시선을 견뎌야 했다.

내가 사상검열 일을 주관한 첫해에 작가 바이양강(柏楊剛)의 '뽀빠이 사건'이 발생했다. 그는 미국 만화 〈뽀빠이(Popeye)〉를 번역할 때 'fellow'를 '전국의 군민 동포들'로 번역했다. 정부 당국에서는 정부와 국민 간의 감정에 도발하고, 원수를 모욕했으며, 국가 지도력에 큰 타격을 입혔다는 이유로 그를 수감했고, 1977년에야 석방했다.

사상검열자는 학교의 모든 교수와 학생의 사상 문제에 관여했는데, 누군가 원수를 욕하거나 정부를 비방하거나 의심스러운 행동을 하면 사상검열자가 개인의 안전 자료에 일일이 기입해야 했다. 안전 자료의 기록은 마치 전과 기록처럼 어딜 가든 꼭 따라다녔다. 기록을 지우지 못하면 출국할 수도, 교장이 될 수도 없었다. 어떤 사람들은 안전 자료 때문에 곳곳에서 퇴짜를 맞고도 문제가 무엇인지 알지 못했다.

하지만 나는 단 한 번도 다른 사람들의 말과 행동에 촉각을 기울이지 않았고, 기록도 남기지 않았으며, 그 누구도 고발하지 않았다. 어쩌면 타이완에 막 도착해 입대했을 때 지도원에게 찍혀 크게 고통받았던 경험이 있기에 더욱 역지사지로 남을 도와주었는지도 모른다. 그래서 내가 사상검열자라는 것을 모르는 사람들도 많았다. 심지어 나는 새로 들어온 안전 자료에 나쁜 기록이 있으면 다시 심사해 간첩 의혹만 없으면 일률적으로 삭제 요청을 올렸다. 그 때문에 나는 근무 실적 평가에서 을(乙) 등급밖에 받지 못할 때가 많았다. 나는 기존의 사상검열자와는 다른 방법을 택한 덕분에 사상검열 일을 하면서도 부담감이 없었고, 심지어 많은 사람으로부터 존경을 받았다.

학생을 구하고 을 등급을 받다

칼럼니스트이자 시인인 양셴룽은 당시 영어과의 대표였는데, 정직하고 직언을 서슴지 않았으며, 학생을 대표해 자주 학교에 권리를 주장했다. 한번은 한 학생이 시험 때 커닝을 해 학교에 남아 조사를 받고 있었는데, 양셴룽이 변호에 나섰다.

"장공[타이완의 전 총통 장제스(蔣介石)를 높여 부르는 말_옮긴이]도 중국 대륙에서 공산당에 패했지만, 그래도 우리를 이끌고 반격에 나서지 않았습니까? 어찌 이 학생에게는 만회할 기회를 주지 않는 것입니까?"

지도 교수는 양셴룽이 국가 원수를 비판했다고 생각해 안전실에 고발했다. 안전실에서 한 번만 더 보고를 올리면 양셴룽은 신주의 기예 훈련소에서 사상 개조를 받아야 했다. 사건을 접수한 나는 양셴룽을 잘 알지 못했지만, 이런 일로 젊은이의 앞날을 망칠 수는 없다고 생각했다. 나는 급히 그에 대한 자료를 찾아본 후 야간열차를 타고 그의 중학교 시절 교사와 신병 훈련소를 찾아가 교사들의 보증을 받고 나서 그를 지켜 주겠노라고 결심했다.

나는 가오슝 사범대학 총장에게 논리 정연하게 주장을 펼쳤다.

"학교는 청년을 양성하는 곳이지, 해치는 곳이 아닙니다."

경비 사령부에서도 양셴룽이 잠깐의 부주의로 미성숙한 발언을 한 것일 뿐, 평소에는 선한 학생이라는 내용의 공문을 보냈고, 결국 그는 처벌을 면했다. 그 후 나는 한 달에 한 번 보고를 올렸고, 반년 후에는 두 달에 한 번씩 보고했다. 교관과 지도 교수도 양셴룽의 평소 언행을 지켜보았는데, 불량한 점이 발견되지 않아 이듬해에 기록이 삭제되었다. 그러나 나는 근무 실적 을 등급이라는 대가를 치러야 했다.

당시 양셴룽은 나의 이런 노력을 알지 못했다. 그는 자신은 그저 열심히 다른 학생을 도왔을 뿐인데 그것이 품행의 문제로 번져 큰 사태로 비화하자 크게 상심했고, 급기야 자살을 생각하기에 이르렀다. 나는 그를 기숙사로 불러 어르고 달랬으며, 다른 학생들과 함께 먹고 지내게 해 가족의 정을 느끼도록 했다.

2001년 제1회 영어과 동창회가 열렸을 때 비로소 내가 자신을 몰래 도와주었다는 것을 안 양셴룽은 나를 꼭 껴안고 울음을 토해 냈다. 나도 눈시울이 붉어졌다.

"자네뿐 아니라 많은 학생이 내 을 등급으로 구원받았지. 나 하나 그깟 성과급 못 받는다고 굶어 죽는 것은 아니지만, 자네 같은 젊은이들은 미래가 창창하지 않나!"

양셴룽은 이 사건을 글로 써서 신문사에 투고했으며, 자신의 저서에 싣기도 했다. 지금까지도 그는 감격에 젖어 이렇게 말하곤 한다.

"선생님의 은혜는 해와 달처럼 영원히 나를 비추고 있다."

학생을 위해 경고를 무릅쓰다

수학과의 천잉바오(陳英保)는 유학 시험에 통과하고도 다른 사람의 거짓 정보만 믿고 학교에서 절차를 밟지 않았다가 수속에 문제가 생기고 말았다. 이틀 후로 갑자기 출국이 결정되자 그는 다급히 나를 찾아왔다.

이번에 출국하지 못하면 내년에 다시 시험에 통과하리라는 보장이 없기 때문에 그의 앞날에 큰 영향을 끼칠 것이 분명했다. 나는 가장 빠른 방법은 총장을 통하지 않는 것이라 생각하고 독단적으로 공문을 작성했다. 천잉바오는 그 공문을 가지고 타이베이의 출입국관리소에 가서 가까스로 서류를 처리했고, 출국 수속을 밟고 미국 유학길에 오를 수 있었다. 하지만 그는 상부에 보고를 올리지 않고 독단적으로 처리한 것이 나의 중과실로 기록에 남게 되리라는 것은 알지 못했다.

동료가 왜 그랬냐고, 남 도와주다가 일을 다 망쳤다고 나를 나무라자 나는 웃으며 대꾸했다.

"망치긴 뭘 망쳤다고 그러나? 젊은이의 미래가 중요하지, 난 늙어서 중요한 게 아무것도 없어. 얼마 있으면 죽을 거라 목숨도 중요하지 않은 판에 기록에 남는 게 다 무슨 소용인가?"

"기록에 남는 게 두렵지 않단 말인가?"

"그래 봤자 중과실이겠지. 내가 한 일은 칭찬받아야 마땅한데, 기록이라니……. 젊은이의 미래가 얼마나 중요한가? 내가 안전실에서 일하는 건 그들을 돕기 위해서야."

결국 교육청 안전실에서는 나에게 경고 하나를 내렸지만, 나는 전혀 개의치 않았다. 나는 그저 양심에 따라 내가 해야 할 일을 할 뿐이었다. 다른 사람의 감사나 보답은 바라지도 않았으며, 대개 당사자 모르게 묵묵히 처리해 심지어는 죽을 때까지도 사실을 모르는 경우도 있었다.

전 자이 중학교 교장 천전밍(陳貞銘)이 교사였을 때 타이베이 여자사범학교에서 가오슝 사범대학으로 옮겨 오고 싶어 했다. 그는 근무 성적이 매우 우수했지만, 학교 측에 몇 차례나 출국 교육 시찰을 신청해도 전부 거부당했다. 사유는 안전 자료에 '출국 불가'라고 적혀 있기 때문이었다.

정황을 파악해 본 나는 천전밍이 타이베이 여자사범학교에서 교사로 재직할 당시 학생에게 한 발언 때문에 그런 평가를 받게 되었다는 것을 알게 되었다. 당시 1학년 학생 하나가 타이완의 국부(國父)인 쑨원 탄생 기념 연극을 하려고 하자 그가 "성적도 나쁜 주제에 연극은 무슨!"이라고 말했고, 이것 때문에 사상에 문제가 있는 것으로 간주되었던 것이다.

나는 이 교사는 사범학교에서 교편을 잡으면서 부당한 언사를 내뱉은 적이 없으며, 적극적으로 사상 보안에 힘썼으니 기록을 삭제해 달라고 상부에 요청했다.

결국 천전밍은 출국 교육 시찰을 떠날 수 있었을 뿐 아니라 나중에 중학교 교장 자리에까지 올랐다. 그러나 죽을 때까지 출국이 가능했던 것도, 교장이 될 수 있었던 것도 정책적으로 느슨해져서 나쁜 기록이 삭제

되었기 때문이라고 믿고 있었다.

30년 후의 감사 인사

내가 학교에서 퇴직한 지 2년이 지났을 때, 1학년 신입생들이 청칭 호(澄清湖)에서 새해맞이 야영을 한 적이 있었다. 그중 한 명이 장제스의 임시 행정 건물인 징청루(澂清樓)가 너무 아름다워 호기심에 담을 넘어 안으로 들어가서 자세히 살펴보다가 주둔군에게 붙잡히고 말았다.

그곳의 안전을 책임지는 안전실 직원과 나는 동향인 데다 같이 훈련받은 적이 있었다. 그는 당시의 당직 교관에게 사실을 전했지만, 당직 교관은 학생의 보증을 서기를 거부했고, 지도 교수는 찾을 길이 없었다. 마침 학과 주임도 자리에 없자 안전실 직원은 나에게 학생을 위해 보증을 서겠느냐고 물었다. 나는 두말없이 늦은 밤 청칭 호로 달려가 학생의 보증을 서주었다. 나는 이 일을 당사자인 학생에게조차 알리지 않았다. 학생들은 아무 생각 없이 한 일이었으며, 만약에 일의 심각성을 알았다면 처음부터 사고를 치지 않았을 것이라는 생각에서였다.

훗날 어느 결혼식 피로연에 참가했는데, 한 사람이 술을 권하며 아주 기쁜 얼굴로 나를 바라보았다. 아무래도 낯이 익어 곰곰이 생각해 보던 나는 웃음을 터뜨리며 학생에게 말을 걸었다.

"자네, 지금도 음악 좋아하나?"

학생은 입을 다물지 못했다. 내가 아직도 자신을 기억하리라고는 생각지도 못했기 때문이다.

30년 전 내가 학교에서 사상검열자로 일할 때 우연히 이 학생이 창에 기대어 라디오를 듣고 있는 모습을 보았다. 보아하니 듣고 있는 것은 중국 공산당 방송이었다. 나는 고발당하면 골치 아파진다며 듣지 말라고 했다. 내가 사상검열자라는 사실을 몰랐던 학생은 간섭이 심한 것 아니냐며 조금 거만하게 굴었다.

"전 이 음악을 좋아한단 말이에요. 오지랖이 너무 넓으신 것 아닌가요?"

나는 화내지 않고, 그를 그저 물정 모르는 어린애로 여겼다. 중국의 노래가 듣기 좋은 것은 사실이지만, 그 안에는 공산당의 정치사상이 뒤섞여 있었다. 나는 학생이 말을 듣지 않는 것을 보고 무심히 지나쳤고, 그 어떤 기록도, 고발도 하지 않았다. 사건은 그렇게 끝이 났다.

학생은 훗날 학교에서 일하면서 안전실 담당자가 얼마나 무서운 존재인지 알게 되었다. 30년 후 이렇게 나와 재회하게 된 그는 반가움에 술을 권하며 과거 자신의 잘못을 알고도 고발하지 않은 은혜에 감사를 전했다.

"얼마나 놀랐다고요. 제가 몇 년 동안 얼마나 걱정했는데요. 그때 선생님께서 보고하셨다면 전 무사하지 못했을 거예요."

나는 안전실 담당자는 겁낼 게 없으며, 무서운 건 스스로 자만에 빠지는 것이라고 말했다. 더불어 안전실 담당자의 진정한 임무는 좋은 사람을 보호하고 나쁜 사람을 감화하는 것이라고 밝혔다.

"학생을 고발해서 뭐하겠나? 학생은 애들일 뿐이야. 노인이 성공하려고 물정 모르는 애들을 희생시킨다는 게 말이나 되는가? 남을 희생시키고 덕을 보는 부덕하고 양심 없는 일을 나는 할 수 없네."

남의 일에 발 벗고 나서다

기나긴 피난 여정을 거치면서 나는 완전히 다른 사람이 되었다.
어느덧 주위 사람들로부터 남의 일에 관심이 많다는 이야기를 듣게 되었는데,
사실 나는 남의 일에 관심이 많다기보다는 어려움 앞에서 숨고 싶지 않았을 뿐이었다.

전쟁은 모든 것을 송두리째 바꾸어 놓았다. 피난 과정에서 나는 인간의 본성에서 비롯된 극선과 극악을 모두 보았고, 귀인을 만나 도움을 받기도 했으며, 죽어 가는 사람을 보고도 구해 주지 않는 매정함을 보기도 했다. 인정과 몰인정에 대한 생각이 마음속에 커졌고, 점차 정의감과 동정심이 넘쳐흐르게 되었다.

피난길에서 나는 출산이 임박한 임산부를 보았다. 그녀는 길가에서 고통에 몸부림치며 날카로운 비명을 질렀지만, 길에 가득한 피난 인파는 길을 재촉할 뿐 누구 하나 도움의 손길을 내밀지 않았다. 나는 그냥 지나칠 수가 없어 그녀를 돕기로 했다. 다행히도 그녀는 출산 경험이 있어 아이를 출산한 후 하의를 찢어 그 천으로 탯줄을 묶고는 맨손으로 잘라 냈

다. 나는 아이를 받아 본 경험이 없었지만, 집에 있을 때 가축이 새끼를 낳는 것을 본 적이 있어 패닉 상태에 빠지지는 않았다. 나는 그녀를 도와 아이를 받았고, 모자 모두 안정을 찾자 근처의 교회에 데려다 주었다.

어려움에 빠진 사람들을 구해 주다

위험에 처한 것은 임산부뿐만이 아니었다. 전쟁으로 수많은 고아가 생겼지만, 피난 중에는 제 앞길 가리느라 그 누구도 고아는 안중에도 없었다. 나는 남쪽으로 향하는 중에 대여섯 살쯤 됐을 법한 아이가 부서진 집 앞에서 울고 있는 것을 보았다. 아이는 산둥 성 르자오 시(日照市)에서 피난을 온 것인데, 광저우로 친척을 찾으러 가는 길에 동행하던 삼촌이 군인에게 붙잡혀 가자 돌아올지도 모른다는 생각에 헤어진 장소에서 꼼짝 않고 있었던 것이다. 아이는 하루를 꼬박 굶은 상태였다.

마음이 짠해진 나는 눈물을 흘렸다. 근처에는 민가가 전혀 없어서 나는 아이를 데리고 남쪽으로 길을 떠났다. 함께 걷고, 버스를 타고, 배를 타고, 여관이나 학교, 사당에 묵으면서 취안저우까지 함께 갔다. 아이를 데리고 부대를 따라다니기도 했다. 그러던 중 수이터우 진에서 우연히 망명학교의 펑(彭) 선생님을 만났는데, 그는 마침 딸을 찾으러 홍콩으로 가려는 참이라고 했다. 나는 아이를 펑 선생님에게 맡겼다.

기나긴 피난 여정을 거치면서 나는 완전히 다른 사람이 되었다. 어느덧 주위 사람들로부터 남의 일에 관심이 많다는 이야기를 듣게 되었는데, 사실 나는 남의 일에 관심이 많다기보다는 어려움 앞에서 숨고 싶지 않았을 뿐이었다. 피난길에서 병에 걸린 사람을 봐도 다른 사람들은 자신의 일만으로 벅차 신경 쓸 여력이 없었지만, 나는 최선을 다해 도와주었다. 나는 어려움을 보고 능력이 되면서도 돕지 않는 것은 옳지 않은 일이라고 생각했다.

시험 접수 작전

나는 어떤 일을 할 때든 기준이 있었다. 좋은 일을 할 때도 아무 때나 끼어드는 것이 아니라 남들이 아무도 거들떠보지 않을 때만 도움을 베풀었다. 도움이 절실한 사람에게 손길을 건넸지, 공연히 좋은 일에는 끼어들지 않았다.

1967년, 가오슝 여자사범학교가 대학제로 바뀌면서 그곳에 있던 교사들은 제각기 갈 길을 찾거나 교육청으로부터 다른 학교를 배정받았다. 일부는 교육청에서 주관하는 중학교 교장 시험에 응시하기도 했다. 시험 접수 마지막 날, 나를 찾아온 실습보도실 주임 린넝슝(林能雄)은 앞날이 막막하다고 했다. 나는 교장 시험에 응시해 보라고 권했지만, 그는 자신이 없다고 했다. 도전하고 싶은 마음은 있는 듯했지만, 응시원서와 사진도 준비되어 있지 않았고, 경험도 전혀 없는 데다가 접수 마지막 날이라 어찌해 볼 도리가 없었다.

행동이 빠른 나는 그에게 빨리 가서 사진을 찍어 오라고 한 다음, 인사실에서 학력 및 경력표를 준비했다. 그리고 실습보도실의 세 사람과 함께 응시원서를 작성했다. 사진까지 붙이고 모든 준비가 완료되었을 때는 저녁 7시가 넘어 이미 우체국이 문을 닫은 시간이었다. 잔뜩 풀이 죽은 린넝슝은 다들 열심히 도와주어 고맙지만 헛수고가 되어 버렸다고 말했다.

하지만 나는 포기하지 않았다. 나는 학교 전달실에 우편 업무를 대행하는 부서가 있다는 것을 떠올리고 그곳이라면 사정을 봐줄 것이라고 생각했고, 다들 다시 희망을 품었다. 9시가 넘어 전달실에 도착해 사정을 구구절절 설명하며 설득했지만, 우편 업무를 담당하는 탕(唐) 씨는 줄곧 원칙을 고수했다.

나는 탕 씨가 원칙주의자임을 알고 할 수 없이 약점을 공격했다. 원래 우편 업무 대행의 책임자는 나였고, 탕 씨는 학교 근로자 중에서 선발되어 이 업무를 맡게 된 것이었다. 나는 사무실에서 찾아낸 근로계약서를 탕 씨에게 보여 주며, 우편 업무를 대리로 맡은 담당자는 책임자에게 협조하지 않거나 책임자의 지시를 듣지 않으면 책임자에 의해 언제든지 직무를 박탈당할 수 있다고 명시된 부분을 강조했다. 탕 씨는 하는 수 없이 서류에 당일 날짜를 적어 다음 날 부쳤다.

일이 끝난 후 나는 탕 씨를 찾아가 잘못을 인정하고 결례를 빌며 담배 한 개비를 건넸다.

"자네가 옳고, 내가 틀렸네. 자네는 원칙대로 했고, 나는 임시변통을 쓴 거야."

나는 그에게 계속 우편 업무를 맡아 달라고 부탁했고, 전처럼 원칙을 고수하게 했다. 그리고 나에게 떨어지는 우편 업무 수당을 그에게 전했다. 그렇게 이번 충돌은 원만히 마무리되었다.

과연 나의 보는 눈은 틀리지 않았다. 린넝슝은 1등이라는 우수한 성적으로 시험을 통과했고, 그 후 오랫동안 교육계에 몸담았다.

교통사고 목격과 사고 처리

1973년 11월의 어느 날 오후 5시에서 6시 사이, 나는 수학과 학생 왕룽장(王榮章)이 교차로에서 오토바이에 치이는 것을 목격했다. 꽤 심각한 사고였지만, 금방 자리에서 일어나는 것을 보니 다행히 상태는 심각하지 않은 듯했다.

오토바이 기사는 그가 일어나는 것을 보고 그냥 돌아가려고 했고, 나는 학생을 병원에 데려다 주라고 요구했다. 오토바이 기사는 멀쩡해 보이는데 웬 간섭이냐며 내게 도리어 큰소리쳤다. 나는 학생을 병원에 데려가지 않으면 경찰에 신고하겠다고 말했다. 결국 내가 지갑을 열어 택시를 잡아 모두를 태우고 병원으로 갔다. 왕룽장은 가는 길에 혼절했고, 병원에서 검사해 보니 뇌진탕으로 꽤 심각한 상태였다.

나는 오토바이 기사에게 입원비를 내라고 한 뒤 입원 수속을 밟고, 학교 교무실에 전화를 걸어 왕룽장의 부모에게 소식을 전해 달라고 했다. 그의 부모는 타이베이에 있어서 날이 밝은 후에야 도착할 수 있을 것이라 했다. 나는 교대할 학생 둘이 온 후에야 집으로 돌아왔다.

잠자리에 들려는데 아무리 생각해 봐도 젊은 학생들에게 환자를 맡겼다가는 문제가 생길 것 같아 자전거를 타고 다시 병원으로 돌아갔다. 역시나 왕룽장의 호흡이 매우 약해져 있었고, 간호하던 학생들은 곯아떨어져 있었다. 나는 급히 간호사를 불러 호흡기를 끼웠고, 호흡은 천천히 정상으로 회복되었다.

상황이 이렇게 되자 나는 자리를 쉽사리 뜰 수 없었고, 결국 병원에 남아 왕룽장의 상태를 살피기로 했다. 새벽 3시쯤 갑자기 왕룽장의 눈과 입에서 피가 흘러내리기 시작했다. 나는 권위 있는 안과 의사인 가오슝 시립병원의 자오(趙) 의사가 떠올라 얼른 뛰어가서 그를 찾았다.

내가 병원 문을 두드렸을 때는 새벽 4시에 가까운 시간이었다. 의사는 이런 시간에 찾아온 것이라면 분명 심각한 상황이리라 생각하고 두말없이 나와 함께 병원으로 향했다. 의사는 왕룽장의 상태를 보더니 피가 나오는 것은 좋은 현상이라고 말했다. 눈에는 아무런 이상이 없으며, 뇌진탕으로 생긴 피가 흘러나온 것이라는 이야기였다.

밤새 한숨도 못 자고 동분서주한 내가 병원을 나선 것은 아침 7시가 넘어서였다. 나는 급히 달려온 왕룽장의 어머니에게 그를 맡기고 나서야 비로소 한숨 돌릴 수 있었다. 그러나 왕룽장은 혼수상태에 빠져 대소변도 가리지 못했고, 일주일간 그런 상태를 지속했다. 왕룽장의 어머니는 병원을 옮기고 싶다며 나에게 상의했다.

나는 의학 지식은 거의 없었지만 뇌진탕 환자는 옮기지 않는 게 좋다는 것은 알고 있었다. 그래서 뇌의학 전문의인 민생병원 원장 류칭장(劉淸彰)을 찾아가 자문을 구했다. 류칭장 원장은 절대로 병원을 옮겨서는 안 되며, 회복의 기미가 없더라도 최소한 악화되지는 않으니 조금 더 기다려 보자고 했다. 왕룽장은 보름이 지나자 주사를 놓을 때 통증을 느끼기 시작하더니, 한 달 후에는 퇴원하게 되었다.

한 동료가 병원에 데려다 줬으면 됐지 뭐하러 그 뒤처리까지 일일이 신경 쓰느냐고 물었다. 나는 당연히 해야 할 일을 한 것뿐이라며 이렇게 답했다.

"젊은이의 생명이야. 앞날이 얼마나 창창한데, 구해 주는 게 당연한 것 아닌가? 나처럼 오지랖 넓은 게 당연한 거야."

사실 내가 다른 사람의 일에 관여하는 데는 원칙이 있었다. 나는 다툼에는 절대로 끼어들지 않았고, 정상적인 일에만 신경 썼다. 사람이 차에 치여 죽으면 다른 사람들처럼 현장을 얼씬거리며 참견하지 않았는데, 아무리 애쓴다 해도 죽은 사람이 살아날 리도 없고, 경찰이 와서 처리할 테니 공연히 애쓸 필요가 없다고 생각했기 때문이다.

남을 헌신적으로 돌보다

나는 위급한 상황에 처한 사람뿐 아니라 가난한 사람도 힘껏 도와주었다. 한 동료가 폐병에 걸려 서른일곱이라는 젊은 나이에 숨을 거두었는데, 남은 처자식의 생활이 매우 궁핍했다. 마침 꽤 부유한 선생님 한 명이 아이의 옷이 작아지면 바로 내다 버리곤 한다는 것을 알게 된 나는 동의를 구한 후 거의 새 옷에 가까운 그 옷들을 얻어다 동료의 자녀들에게 보냈다. 나는 몇 년간을 이렇게 했다.

한번은 설에 그 부인이 병이 났는데, 집에 돈이 한 푼도 없었다. 나는 명절 보너스를 전부 건넸다. 나는 어려서부터 어려움에 처한 사람을 그냥 지나치지 못했고, 늘 최선을 다해 도와주었다. 부인은 늘 많은 도움을 받고 있다며 "하나님이 보고 계시니 언젠가 복 받으실 거예요"라고 말했다. 하지만 나는 복을 받으려고 남을 돕는 것이 아니었다. 무언가 바라는 게 있어 돕는 거라면 그건 아무런 의미가 없었다.

그 후 10여 년이 흐른 어느 날, 출장을 갔다가 가오슝에 돌아왔는데, 큰비가 내리고 있었다. 나는 삼륜차를 타고 학교로 돌아왔는데, 내리면서 돈을 냈더니 기사가 한사코 받지 않는 것이었다. 알고 보니 그는 바로 옛 동료의 자녀로, 벌써 어른이 되어 내가 알아보지 못한 것이었다.

"아버지가 몸져눕고 돌아가셨을 때 선생님께서 많이 도와주셨다고 어머니가 늘 말씀하셨습니다. 한동안 못 뵈었는데도 어머니는 늘 선생님 이야기를 하셨어요."

나는 나에게 잘 대해 주는 사람이나 은혜를 갚을 수 있는 사람을 돕는 것이 아니라, 그저 나의 도움이 필요한 사람을 도왔다.

1989년에 손자를 찾으러 홍콩에 갔을 때도 남을 크게 도운 적이 있다. 당시 길거리에서 양복에 헝겊신 차림으로 방황하고 있는 사람을 보았는데, 옷차림새로 보아 중국에서 건너온 사람이 틀림없었다. 내가 먼저 다가가 어디로 가려는지 물었더니, 타이완의 장례식에 참석하려는 길이라고 했다. 전날 홍콩에 도착해 거리에서 밤을 지새우고는 증명 서류를 들고 홍콩 여행사에 가려는데 도무지 못 찾겠다는 것이었다. 사람들에게 물으려 해도 다들 외면한다고 했다.

나는 그를 데리고 가 수속을 도와주고 밥도 사주었다. 옷차림에 격식을 갖추도록 신발도 사주고, 타이베이에 있는 동생에게 전화도 걸어준 뒤 이재민협회에 데려다 주었다. 타이완에 돌아온 후에는 중국에 있는 그의 다른 동생에게 전화를 걸어 형이 타이완에 무사히 잘 도착했다고 소식을 전했다.

위중한 교통사고

1978년, 퇴직하고 얼마 지나지 않았을 무렵, 나는 자전거를 타고 공연을 보러 가다가 뒤따라오던 화물차에 들이받혔다. 자전거는 처참히 부서졌고, 나도 그 자리에서 실신했다. 바로 병원에 실려 간 나는 장장 보름 동안 의식을 찾지 못할 정도로 큰 부상을 당했다. 상황은 그리 낙관적이지 못했다. 학생들이 묏자리를 알아보고 수의를 준비할 정도였다. 그러나 나는 결국 의식을 회복했고, 꿋꿋이 살아남았다.

나는 화물차 기사와 배상 금액을 구두로 합의했는데, 합의서를 작성하는 당일 기사가 어머니와 처, 그리고 두 아이를 부양하느라 빚을 진 사실을 알았다. 마음이 불편해진 나는 한 푼도 배상해 줄 필요 없으며, 조건 없이 합의해 주겠다고 말했다. 이 같은 반응에 상대방조차 아연실색하고 경찰 측에서도 머리를 심하게 다쳐 판단력을 상실한 것이 아니냐고 할 정도였다. 하지만 나의 머리는 그 누구보다 맑았다. 나는 이렇게 말했다.

"빚도 있는데 내게 배상할 능력이 있겠습니까? 내겐 퇴직금이 있고, 나는 얼마든지 내 한 몸 건사하며 살 수 있습니다. 돈이 얼마 더 생기든 안 생기든 크게 달라질 것도 없지요. 하지만 당신네 가족은 부담이 크지 않겠습니까?"

결국 화물차 기사는 치료비만 물었다. 병원 원장은 사범학교에 재직 중인 선생님의 제자였는데, 나는 그 선생님을 찾아가 사정을 설명했고, 그는 다시 병원 원장에게 부탁했다.

"자오 선생님은 돈이 한 푼도 없단다. 치료비를 좀 적게 책정해 주겠니?"

화물차 회사에서는 배상금이 최대 3만 타이완달러로 책정되어 있어서 그 이상 되는 금액은 기사가 물어 주어야 했는데, 원장이 원래 8만 타이완달러였던 치료비를 3만 타이완달러로 줄여 주어 화물차 기사는 돈을 물어 줄 필요가 없게 되었다.

나는 그 후 반년 정도 교통사고 후유증으로 가끔 머리가 흐리멍덩해지곤 했지만, 3년이 지나자 완전히 회복되었다.

독신 교수의 죽음

1982년, 한 독신 교수가 죽은 지 20여 일 만에 기숙사에서 발견되었다. 교수들은 퇴직 교수에 대한 학교 측의 미흡한 관리에 분통을 터트렸고, 교수연합회에서는 총장을 곤란하게 만들기 위해 학교 대강당에서 장례를 치르기로 했다. 나는 그 교수의 성질이 괴팍하고, 평소 동료들과의 교류가 거의 없었던 데다 다른 사람이 찾아가도 만나 주지 않는다는 것을 알았기 때문에 학교가 돌보지 않은 탓이 아니라 그가 남의 관심을 거부한 것이라고 생각했다.

나도 장례위원 중 한 사람이었는데, 나는 학교 강당에서의 장례에 찬성하지 않았다. 학생들 시험이 치러지는 강당을 장례식장으로 만드는 것도 옳지 않을뿐더러, 이것이 선례가 되어 교수 장례를 다 학교에서 치르게 될지도 모른다는 우려에서였다. 나는 담당 학과가 아닌 학생들은 잘 알지도 못하는 교수의 장례를 전체 학생이 사용하는 학교에서 지내는 것은 문제가 있다고 생각했다.

하지만 교수연합회의 동기는 분명했다. 그들은 총장을 곤란하게 하려는 의도가 다분했다. 나는 망자를 한시라도 빨리 편히 보내 주기 위해 결국 장례를 혼자 책임지기로 했다. 나는 문제를 해결하려면 희생적인 태도가 필요하다고 생각했다. 이때 나는 이미 일흔을 넘긴 노인이었지만, 교수와 20년의 세월을 함께 보냈으니 형제나 마찬가지였고, 그가 편안히 잠들기를 바라는 마음에 일에 앞장섰다.

나중에 한 동료가 나를 원망했다.

"자네 왜 이리 나서나? 우리도 다 생각이 있어서 이러는 거라고!"

나는 이렇게 대답했다.

"저의가 불량하면 정당성을 잃는다네. 그렇게 해서 학교에 좋을 게 뭐가 있나? 왜 정정당당하게 직접 나서서 총장과 대화하지 않는 건가? 보복은 아주 비열한 수단이야."

본래 나는 사당이나 길가에 천막을 치고 추도식을 지낼 예정이었는데, 총장이 고령에 직접 준비하는 것은 무리라고 판단해 학교의 공금으로 빈소를 차리게 해주었다.

그 교수는 자녀가 없어 화장된 유골을 사당에 모실 때 들고 갈 사람이 없었다. 따로 사람을 구하려면 2,000타이완달러가 들기 때문에 그 교수의 제자인 학과 주임이 자진해서 그 역할을 맡기로 했다. 하지만 나는 그를 만류하고 내가 맡겠다고 나섰다.

"자넨 부모님이 아직 살아 계시지 않은가? 내가 하겠네. 난 아버지도 어머니도 돌아가셨으니 상관없어."

나는 유골을 받아 들었다.

"이 나이가 되었으니 이제 죽어도 상관없어. 금기 따위 무서울 게 뭐 있겠나?"

오랜 벗들을 고향으로 보내 주다

나이를 먹을수록 장례를 치를 일이 늘어났다. 퇴직 후 한 동향의 부인이 세상을 등졌는데, 남편도 이미 눈을 감아 고향에 묻혀 있는 데다 자녀도 모두 멀리 떨어져 있어 부인의 후사를 돌봐 줄 사람이 없었다. 그래서 나는 부인의 유골을 중국에 가져가 남편과 함께 묻어 주었다. 유산은 중국에 있는 자녀들에게 적당히 분배해 주었다. 또 사범학교에서 잡부로 일하다 퇴직한 산둥 출신 사람이 세상을 떴을 때는 부인과 함께 그의 유골을 고향으로 가져가 안장했다.

내가 동향의 유골을 중국으로 보내는 일을 마지막으로 한 것은 내 나이 86세 때였다. 나는 이를 당연한 의무라고 생각하고 도왔지만, 사실 때로는 항공권에 숙박 비용까지 자비로 충당해야 했고, 심지어는 자녀들의 유산 분쟁까지 해결해야 했으니, 여간 힘드는 일이 아니었다. 처음부터 끝까지 혼자 처리하느라 정신적으로도 육체적으로도 벅찼고, 게다가 좋은 일을 하고도 좋은 소리를 들을 수도 없었다. 산 사람은 고맙다는 표현을 할 수 있지만, 죽은 자가 어찌 입을 열겠는가? 사심 없는 동기와 대가를 바라지 않는 마음이 없었다면 결코 불가능한 일이었다.

나처럼 중국에서 타이완으로 건너온 1세대들은 하나둘 나이가 들어 죽거나 병들어 있었다. 내가 열성적으로 능숙하게 일을 처리한다는 것을 아는 사람들은 자주 도움을 요청했다. 한번은 장쑤 성 출신 일꾼이 위중한 병에 걸렸는데, 타이완에는 돌봐 줄 친지가 없다며 나에게 좋은 방법이 없는지 물었다. 나는 타이완은 장기 요양 비용이 아주 비싼 데다 피붙이도 없으니 중국으로 돌아가는 것이 좋겠다고 말했다. 그리고 재산을 잘 나누어 일부는 은행에 예치하고, 일부는 몸에 지니라고 일러 주고, 모든 수속을 처리했으며, 매달 지급되는 퇴직금을 그를 돌봐 주는 조카에게 주었다. 당시 중국에서는 그 돈이면 열 식구가 먹고살 수 있었다.

그는 중국으로 돌아가 조카의 간호를 받으며 아주 편히 지냈으며, 그 후로도 10년을 더 살았다. 그는 나에게 아주 고마워했다.

"나의 10년의 행복은 당신이 준 거예요."

친구들은 걸핏하면 나에게 오지랖 넓은 사람이라며 핀잔을 주었고, 괜히 남의 일에 관여해 고생하지 말라고 했지만, 나는 그저 양심에 거리끼고 싶지 않을 뿐이었다. 주위 사람들이 말린다고 변할 내가 아니었다.

쥐를 쫓을 때는 도망갈 구멍을 남겨라

좀도둑을 잡은 나는 완곡한 말로 설득했다.
"자네 실직한 모양이구먼……. 나도 가난했다면 좀도둑이 되었을 거야.
200타이완달러를 줄 테니, 밥이라도 사 먹고, 다시는 이런 짓 하지 말게."

나는 가오슝 여자사범학교, 가오슝 사범대학에서 20년을 재직하면서 늘 공정함을 추구했고, 남에게 원한 사는 것을 두려워하지 않았다. 마땅한 이유가 있으면 그 자리에서 확실히 시비를 가렸지만, 원칙을 따지더라도 인정을 잃지 않았으며, 보통 때는 늘 부드럽고 온화했다.

가오슝 여자사범학교에서 서무 조장으로 일할 때는 업무에 대한 부담감은 적었지만, 다른 어려움이 있었다. 나는 총무 일 자체를 별로 좋아하지 않았다. 밤늦게야 일이 끝났고, 뒷주머니 차는 것 아닌가 하는 의심을 받았으며, 무엇보다 참을 수 없었던 것은 사람들이 나의 인격과 품행에 먹칠하는 것이었다.

어떤 사람은 자신이 구매한 물품의 하자를 숨기는 데 협조해 주지 않자 교장에게 내가 비리를 저질렀다며 허위 고발했다. 교장은 나를 믿어 주었지만, 나는 악의적으로 나를 중상모략한 자를 그냥 두고 볼 수는 없었다. 나는 유언비어를 퍼뜨린 그 사람을 찾아가 학교에서 나갈 것을 요구했다. 사실을 날조한 데다 원한을 품고 보복했으니 학교에 남을 자격이 없다며, 제 발로 나가지 않으면 때려서라도 쫓아낼 것이라고 말했다.

사태의 심각성을 깨달은 그는 다른 사람에게 도움을 요청했다. 그 사람은 내가 평소에는 과묵하지만 억울한 일을 당하면 누명을 벗을 때까지 끝까지 노력하며, 내뱉은 말은 반드시 행동으로 옮긴다고 말해 주었다. 그러나 조언해 준 이 교사는 다른 곳으로 자리를 옮겼고, 유언비어를 퍼뜨린 사람 역시 다음 학기에 학교를 떠났다.

그 자리에서 시시비비를 가리다

1960년, 내가 대리로 총무 주임직을 맡게 되자, 승진 기회를 노리던 사람들은 불만이 많았다. 총무처에 출근한 첫날, 한 조장이 문을 등진 채 모두에게 말했다.

"산둥 촌뜨기의 어리바리한 모습 좀 봐. 진짜 볼만하다니까."

마침 내가 안으로 들어가려던 차라 똑똑히 들렸다. 평소 직언을 서슴지 않던 나였기에 모두 앞에서 분명히 말했다.

"조장, 뭐가 볼만한지 한번 얘기해 보지. 내가 여기 온 건 선임 조장이 공금에 손을 대서 잘렸기 때문인 건 잘 알고 있겠지? 총무는 일은 고되지만 티가 안 나는 데다 다들 돈을 관리하니 부정부패를 저지를 것이라고 생각하지. 돈을 관리하는 사람들은 이 부분에 상당한 인내심을 가져야 하네. 내가 총무 부서에 들어온 것은 언제든 다른 사람에게 인계할 준비가 되었기 때문이야. 난 큰돈을 벌거나 성공하려고 타이완으로 피난온 것이 아니네. 지낼 곳이 있고 배불리 먹을 수만 있다면 그걸로 족해."

조장은 귀까지 새빨개지고 부끄러워 안절부절못하더니 농담한 것뿐이라며 오해하지 말라고 했다. 그런 모습에 모두 웃었다. 나도 웃음을 터뜨리고 조장의 이야기를 농담으로 여겼다. 나는 무슨 일이든 그 자리에서 터놓고 이야기해 마음속에 응어리가 남는 법이 없었다.

한번은 한 여학생이 비가 세차게 내리는 바람에 기숙사에 가지 못하고 다시 학교로 돌아와서 머뭇거리고 있었다. 그래서 조교가 여학생을 자신의 집에서 재워 주었다. 조교의 집에는 부모님도 계셨고, 둘이 한방을 쓴 것도 아니었다.

다음 날 교관이 나에게 외출하는 학생을 보았느냐고 물었다. 나는 여럿을 봤는데 누구를 말하는 건지 모르겠다고 했다. 나중에 이 교관은 조교가 학생을 집에 데려가 함께 밤을 보냈다며 고발했고, 나를 증인으로 세웠다. 하지만 얼마 후 그 학생이 나를 찾아와 왜 증인을 서는 것이냐고 물었고, 그제야 나는 교관이 거짓말했다는 것을 알았고, 혼자 책임질 엄두가 안 난 교관이 나에게 책임을 미룬 것이었다. 나는 죄를 뒤집어씌우는 것을 가장 증오했다. 나는 당장 교관에게 따지러 갔다.

나는 조교는 학생을 도왔는데 상을 내려도 모자랄 판에 어떻게 고발할 수 있느냐고 거침없이 따졌다. 나는 도리어 교관을 고발하고 진상을 모두 총장에게 알리겠다고 큰소리쳤다. 어쩔 도리가 없음을 깨달은 교관은 나에게 선처를 부탁했고, 그제야 나는 고발하려는 것을 그만두었다.

사람들은 내가 평생 한 인간으로서 성공적인 삶을 살았다고 말하지만, 사실 이런저런 문제가 없었던 것은 아니었다. 나는 평소에는 편안하고 성실해 보이지만, 나와 갈등을 빚었던 사람은 내가 사실 상대하기 힘든 사람이라는 것을 안다. 하지만 나는 스스로 정한 원칙에 따라 바르게 살려고 노력해 왔다. 나는 그 자리에서 시시비비를 가렸고, 절대로 뒤에서 술수를 쓰지 않았으며, 개인의 이익을 추구하지도 않았다. 그렇기 때문에 늘 당당하고 공명정대했다.

늘 다른 사람이 살아갈 길을 모색하다

학교의 주방 보조로 일하던 한 남자는 요령을 잘 피우고, 일을 제대로 하지 않았다. 아무리 충고해도 말을 듣지 않아 결국 나는 해고를 결정했다. 앙심을 품은 그는 칼을 들고 사무실로 나를 찾아왔다. 그는 나 때문에 밥줄이 끊겼다며 분통을 터뜨렸다. 나는 겁내지 않고 조리 있고 날카로운 말로 그를 설득했다.

"자네가 일을 제대로 안 하니까 이렇게 된 것 아닌가? 몇 년이나 함께 일한 사이인데, 내 어찌 자네를 모른 척하겠나? 밥 굶게 생겼으면 우리 집으로 오게. 칼 들고 뭐하는 짓인가?"

나는 주방 보조를 집에 데려가 며칠 재운 뒤 앞으로 무슨 일을 할지 생각해 보고 필요하면 도움을 주겠다고 말했다. 주방 보조는 날이 더우니 얼음을 팔기로 했고, 나는 내 자전거를 선물했다. 주방 보조는 얼음 장사로 학교에서 일할 때보다 더 많은 수입을 올렸다. 하지만 겨울이 되자 얼음 장사를 접을 수밖에 없었다. 그래서 나는 당부(黨部, 정당의 지도 조직 및 기구_옮긴이)의 노동일을 소개해 주었고, 그는 그곳에서 정년퇴직했다.

나는 책임자로서 일하면서 부하의 잘못을 절대 눈감아 주지 않았다. 규칙이 깨지기 때문이었다. 하지만 늘 '쥐를 쫓을 때는 도망갈 구멍을 남겨라'라는 말을 명심했다. 그렇지 않으면 궁지에 몰린 쥐에게 물릴 수도 있기 때문이다.

한 친구가 미국으로 이민 가면서 가오슝의 집을 잘 관리해 달라고 부탁했다. 어느 날 내가 집을 살펴보려고 문을 열고 들어가는데, 도둑이 들어와 집을 뒤지고 있는 것이 아닌가? 도둑은 당황해서 "선생님 동생을 만나러 왔어요"라고 둘러댔다.

"나는 동생이 없는데……."

나의 동생은 어릴 적에 숨을 거두어 정말로 없었다.

고단수였다면 집에 들어오자마자 뒷문을 열어 주인이 돌아왔을 때를 대비해 탈출구를 확보했을 텐데, 그러지 않은 것을 보니 이 좀도둑은 입문한 지 얼마 안 되었구나 하는 생각이 들었다. 나는 일단 앉으라고 한 뒤 완곡한 말로 설득했다.

"자네 실직한 모양이구먼……. 나도 가난했다면 좀도둑이 되었을 거야. 보아하니 최소한 고등학교는 나온 것 같은데, 어쩌다 이렇게 되었나? 내가 200타이완달러를 줄 테니, 밥이라도 사 먹게. 오늘 나를 만나지 않았다면 파출소에 끌려갔을 거야. 다시는 이런 짓 하지 말게."

나는 돈을 주고 도둑을 풀어 주었다.

두 달 후, 나는 길에서 우연히 그가 서화를 팔고 있는 것을 보았다. 재기에 성공한 듯 보여 마음이 뿌듯했다.

예전에 고향에 있을 때, 나는 한 아이가 닭을 훔치다가 발각되어 군중에 둘러싸인 채 곤란을 겪고 있는 모습을 보았다. 그때 뱌오(表) 할아버지가 군중을 저지하며 집이 너무 가난해 그런 것이니 아이를 놔주라고 했다.

그로부터 7~8년 후, 뱌오 할아버지는 양곡을 팔러 황허 강 북쪽으로 가는 길에 도적 떼를 만나 가지고 있던 양곡을 몽땅 빼앗기고 말았다. 그런데 도적 떼의 우두머리가 바로 닭을 훔치던 그 아이였다. 그는 양곡 포대의 표시를 한눈에 알아보고는 할아버지를 찾아와 양곡을 돌려주고, 목적지까지 직접 호송해 주었다. 그러고는 할아버지에게 어떤 물건 하나를 주면서 이걸 지니고 있으면 나중에 강도가 훔칠 엄두를 못 낼 것이라고 일러 주었다.

나는 뱌오 할아버지로부터 관용과 포용을 배웠다.

"늘 다른 사람이 살아갈 길을 모색해야 한다. 특히 젊은이는 앞날이 창창하니 절대 어려움에 처하게 해서는 안 된다."

가오슝 여자사범학교가 가오슝 사범대학으로 바뀔 무렵, 한 동료가 조장에서 사원으로 강등된 것에 앙심을 품고 교육청에 총장을 고발했다. 그런데도 총장이 아무런 제재도 받지 않자 그의 불만은 점점 커졌다.

그는 평소 마작을 즐겼는데, 총장은 나에게 그를 도박으로 신고하는 것이 어떤지 의견을 물었다. 나는 반대했다. 그는 다른 부서의 주임이나 교수들과 마작을 하는데, 그를 신고하면 일이 커져 문제가 될 것이며, 최악의 경우 전과가 남기라도 하면 학교를 크게 원망할 것이라고 했다. 게다가 그렇게 될 경우, 주임과 교수들까지도 전과자가 될 것이며, 만일 일이 잘못되면 언론에 알려질 수도 있는 일이었다. 총장은 나의 말을 듣고는 자신이 잘못 생각했음을 인정하고, 다른 해결책을 모색했다.

나는 그 동료가 체면을 중시하는 사람이고, 마침 부친이 생신을 맞이했으니 총장이 직접 선물을 보내 덕으로 원망을 감싸고 두 사람 사이의 나쁜 감정을 푸는 것이 어떨지 제의했다.

"원한은 풀어야지 맺어서는 안 된다는 말이 있습니다. 이게 바로 장기적인 해법이에요."

나중에 총장은 그의 부친에게 선물을 보냈고, 그는 다시는 문제를 일으키지 않았다.

일에는 희생이 따른다

손등의 상처는 20여 일 후에야 꿰맬 수 있었다.
하지만 나는 문제를 해결했기 때문에 다친 보람이 있다고 생각했다.
만일 내가 매를 맞지 않았다면 이렇게 빨리 문제를 해결할 수는 없었을 것이다.

1954년, 제대한 나는 다시 교육 현장으로 돌아갔다. 중국에서 피난 다닐 때 군인이 되고 싶지 않아 학교에 머무를 방법을 생각했지만, 뜻대로 되지 않았다. 그러다가 어렵사리 그토록 원하던 학교에 돌아가게 되자 나는 일개 일꾼이라도 즐거운 마음으로 일했으며, 희생정신을 가지고 온 힘을 쏟았다.

신분증이 없어 임시직에 머물다

내가 학교에 돌아가 처음 맡은 일은 타이베이 여자사범학교의 원예 담당이었다. 맡은 업무도 적성에 맞는 데다 다른 사람의 구속이 없어 하루하루 즐겁게 일할 수 있었다. 3개월 임시직으로 일을 시작했고, 3개월이 지난 후 다시 3개월 연장했다.

하루는 퇴근하고 숙소로 돌아왔는데, 서른 살쯤 되어 보이는 교사가 거만한 태도로 주전자에 물을 떠오라고 시켰다.

"어디 아프신가요?"

나는 웃으며 물었다.

"무슨 그런 기분 나쁜 말을 하세요?"

교사는 불쾌함을 감추지 못했다.

"어디 아픈 것도 아닌데, 왜 물을 떠오라고 시키는 겁니까?"

"당신은 학교 일꾼이잖아요."

"나는 학교 일꾼이지 당신 심부름꾼이 아닙니다. 게다가 퇴근했으니 나는 못합니다. 스스로 하세요."

주전자에 물 떠오는 것쯤은 별일도 아니었지만, 나는 평생 스스로 잘난 줄 알고 거들먹거리는 사람을 가장 혐오했다.

얼마 후, 내가 차분하고 성실하게 일하는 모습을 눈여겨보던 실습실 주임이 나에게 글을 아느냐고 묻더니 학생 명단을 작성해 달라고 부탁했다. 그 후로 3개월가량 실습실에서 일했다. 실습실 주임은 내가 글을 반듯하게 잘 쓰는 것을 보고 정식 직원으로 고용하고 싶어 했지만, 경력 증명서가 없어 어쩔 도리가 없었다.

나중에 가오슝 여자사범학교가 개교하고 직원을 공개 모집했는데, 행정 직원 선발 시험에 응시하려면 고등학교 졸업 요건을 갖추어야 했다. 나는 일단 접수는 했지만, 피난할 당시 공산당에게 붙잡힐까 봐 학력 증명서를 비롯한 그 어떤 증명서도 몸에 지니고 다니지 않았기 때문에 시험에 합격해도 임용될 리가 없었다. 나는 시험을 보러 가지 않았고, 다른 일을 준비할 생각으로 계속 임시직으로 일했다.

시험을 보지 않았으니 당연히 합격자 명단에는 없었지만, 당시 교무 주임이던 바오이녠(鮑頤年)이 응시원서에 반듯하게 적힌 나의 글씨를 보고는 나를 불렀다. 교무 주임은 시험에 응시하지 않은 이유를 물은 후 열흘 정도 잡다한 일을 시켰다. 그 일이 끝난 후 나는 학교를 떠나게 되었는데, 교무 주임은 특별히 근무 외 수당을 신청해 주었다. 하지만 절차가 간단하지 않다는 것을 알고 나는 받지 않았다. 교무 주임은 내가 아무래도 교육을 받은 것 같다며 교무처의 명단이나 공문을 작성하는 일을 맡겼고, 그렇게 다시 3개월을 일했다.

드디어 교사 자격을 취득하다

그때 여자사범학교에는 거만한 교사가 있었는데, 행정 직원들을 '장 직원', '리 간사'라고 불러 모두 싫어했지만 감히 항의하지는 못했다. 나는 교무처에 임시 고용된 상태였지만 조장 직급의 일을 담당했는데, 하루는 그 교사가 거들먹거리며 "자오 간사" 하고 불렀다.

나는 "저를 무척 잘 대우해 주시네요. 전 임시 직원일 뿐인데……. 그런데 왕 선생 무슨 일이에요?" 하고 되받아쳤다. 그러자 그 교사가 황당하다는 표정으로 답했다.

"지금 나보고 선생이라고 했나요?"

"다른 사람을 이렇게 부르시지 않아요? 그걸 응용한 건데요."

"당신은 날 선생님이라고 불러야죠."

"제가 당신 수업을 듣는 것도 아니고, 당신이 절 가르치는 것도 아니잖아요. 당신 학생도 아닌데 왜 선생님이라고 불러야 합니까?"

"나는 장시 성에 있을 때 현장을 지낸 사람이에요."

"우리 고향의 현장은 글도 모르던데요?"

그는 말로는 나를 이기지 못하자 눈을 흘겼다.

나는 거만하고 남을 무시하는 사람들을 가장 혐오했다. 나는 모두 똑같이 나랏밥 먹는 처지인데, 지위가 높다는 이유로 다른 사람 위에 군림하려 드는 것은 있을 수 없는 일이라고 생각했다. 지위가 높든 낮든 일만 잘한다면 그 누구도 뭐라고 할 수 없고, 일을 잘못했을 때는 누구든지 따지고 고발할 수 있다는 것이 내 생각이었다. 나는 정의와 진리를 추구할 뿐이며, 이에 어긋난다면 그가 누구라 할지라도 할 말은 할 것이다.

다시 3개월이 지났고, 교무 주임은 나를 학교에 남기고 싶었다. 마침 빈자리가 났고, 내가 그 자리를 대신하기로 결정되었다. 교무 주임은 나에게 평생 일꾼 노릇 할 것 아니면 공무원 시험을 보라고 설득했다. 나 역시 학력과 증명서의 중요성을 깨달은 터라 먼저 학력 검정고시에 응시한 뒤에 퇴역 관병 취업고시, 보통 행정고시 및 성 정부에서 주관하는 교육행정 특별고시에 도전해 교사 자격을 취득했다. 처음 타이완에 발을 디뎠을 때는 그 어떤 증명서 하나 가지고 있지 않았지만, 이제는 검정고시, 보통고시, 특별고시, 3종을 모두 갖추었다.

나는 가오슝 여자사범학교에서 대체 인력으로 일하다가 고용 직원, 등록 조장, 서무 조장, 인사 주관, 교장 비서 등의 직책을 거친 후 학생을 가르치기도 했다. 따놓은 교사 자격증을 정말로 활용하게 되었으니 인생이란 참 재미있다.

토지 징수 사건

가오슝 여자사범학교는 개교 초창기에는 가오슝 여자중학교의 구교사(舊校舍)를 빌려 썼다. 1954년부터 린더관 농장의 토지를 징수해 교사를 지을 예정이었다.

농장은 원래 농민 조합에서 경작했는데, 토지를 징수하면 농민들은 경작할 곳이 없어지는 데다 보상비도 턱없이 적었다. 그래서 농민들은 토지 징수를 거부했고, 양측은 첨예하게 대립했다. 농민들은 소송을 준비해 보상금을 더 챙기려고 했다.

당시는 내가 교무처에서 일할 때라 농민과 직접 접촉할 일은 없었지만, 총무처 인원에 비해 업무가 많은 관계로 총무 주임 천전밍은 나에게 토지 징수 건 처리를 맡겼다. 나는 총무 주임에게 절대로 농민을 상대로 소송을 걸어서는 안 된다고 말했다. 분명 학교 측이 이기겠지만, 농민들이 항소할 수도 있고, 그러면 3년 이상을 재판으로 허비해 공사는 시작도 못하게 된다. 나는 이렇게 제안했다.

"농민 조합과 철저히 소통하고, 영향력 있는 인사에게 설득을 요청해 보는 것이 좋겠습니다."

총무 주임은 나의 일 처리를 지켜보았고, 총무처에서는 전폭적으로 지지해 주었다.

사실 나도 마음은 불편했다. 국가에서 주는 보상금은 사실 너무 적었고, 농민들은 궁핍했다. 내가 농민이었더라도 달갑지 않았을 것이다.

토지 징수 업무를 맡은 후 농민들은 나를 보기만 하면 욕했고, 소송을 걸겠다고 윽박질렀다. 그러나 나는 늘 밝은 얼굴로 그들을 대하고, 성심성의껏 대화에 임했다. 일부 사리에 밝은 사람들은 보상금을 수령하고 토지를 징수당하는 불합리한 제도에 불만을 토로하며 정부와 학교를 욕했고, 보상금도 타지 않고 토지도 내놓지 않겠다는 입장을 내놓았다. 그들은 자신들이 소송에 유리하다고 생각했지만, 나는 분명 농민 측이 패하리라는 것을 알았다.

힘든 설득 작업 끝에 결국 한 농민만 빼고는 모두 해결했는데, 그는 돈은 받았지만 한 계절 더 수확하고 싶은 마음에 땅도 고르고 모도 심었다. 공사가 곧 시작될 기미가 보이자 나는 직접 논에 가서 모를 뽑는 수밖에 없었다. 그 모습을 본 농민이 화가 나서 삽으로 내 머리를 내리쳤다. 나는 조금도 당황하지 않고 웃는 얼굴로 그를 진정시켰다.

"선생님, 때리지 마세요. 계속 농사일하셔야 하잖아요. 저를 때리시면 경작도 못하고, 상해 및 공무 집행 방해죄로 구속될 거예요. 저는 정부를 대신해서 일하는 거고, 토지를 강탈하려는 것도 아니에요. 한번 잘 생각해 보고 때리세요."

내 말을 들은 농민은 반항해 봤자 소용없다는 것을 깨닫고 고개를 내저으며 한숨을 푹 쉬었다. 그러고는 이내 삽을 들고 자리를 떠났다.

다음 날 나는 술 두 병과 수육을 사서 농민의 집을 찾았다. 우리는 술을 함께 마시며 흉금을 털어놓았다. 나는 농민에게 건설 회사에 이야기해 하루 늦게 공사를 시작하게 할 테니, 그동안 모를 뽑아 잠시 다른 땅에 옮겨 두고 나중에 옮겨 심으라고 말했다. 그리고 학교 일꾼들을 보내 일을 돕게 하겠다고 약속했다. 이야기를 들은 농민은 모를 망치지 말라고만 하고 더 이상 반대하지 않았다. 내가 자신의 일처럼 마음 써주고 진심으로 괴로워하고 있음을 그도 느낀 것이다.

또 다른 농민 한 명은 초등학교를 졸업한 딸의 일자리를 찾아 달라며 학교에 찾아왔다. 총무처에서는 아이가 할 일은 없다며 거절했지만, 나는 부탁을 들어줘서 원한을 덕으로 감싸야지 대립해서는 안 된다고 말하고는 아이의 일자리를 찾아보게 했다. 결국 농민의 딸은 학교에서 일하게 되었고, 나중에 그의 부모는 토지 징수 협상 자리에서 학교 측에 큰 도움을 주었다.

학교 부지는 마침내 전부 확보되었고, 1954년 드디어 교사 건축 공사를 시작할 수 있었다.

엄격한 공사 감독

공사가 시작되자 총무처는 다시 나에게 공사 감독 자리를 맡겼다. 지반을 탄탄히 다지려면 토지의 물을 다 빼야 했는데, 그러려면 24시간 양수 모터를 가동해야 했다. 하지만 모터가 멈출 때도 있어 감독하는 사람이 필요했다. 나는 아예 공사 인부 숙소에서 잠을 잤고, 모터가 멈추면 바로 깨어났다.

나는 전에 치루(齊魯) 대학에서 잠깐 토목 공부를 한 적이 있었는데, 이번 공사 감독을 위해 학교 교사의 소개로 청궁(成功) 대학의 토목공정학과에서 청강생으로 수업을 들었다. 주위 사람들은 내가 막노동을 한 적이 있다는 것을 모르고, 보기에는 점잖은데 막상 일하는 것을 보니 문외

한은 아닌 것 같다고 말하곤 했다.

나는 매우 엄격하게 감독했다. 일반적으로 오차 범위를 10퍼센트까지 허용하는 것과 달리 나는 오차 범위를 3퍼센트까지 허용하고 97퍼센트 수준으로 완벽하게 해낼 것을 요구했다. 설계 기술자는 내가 깐깐하게 요구하자 돈을 찔러 주며 무마해 보려고 했다. 나는 당연히 받지 않았다. 결국은 나에게 탄복한 설계 기술자는 다른 사람들에게 내가 인정이 많고 합리적이라고 말하고 다니게 되었다.

1956년 초, 드디어 공사가 완공되었고, 가오슝 여자사범학교는 린더관의 새 건물로 자리를 옮겼다. 학교 건물은 개축해서 철거할 때까지 아무런 문제가 없었다. 급수탑은 한 번도 망가지지 않았으며, 정화조도 퍼낼 필요가 없었다. 회목 문과 창문은 철거할 때까지 아주 튼튼해서 다른 사람이 사갔을 정도였으며, 수도관과 전선도 완벽했다. 비가 와도 물이 새는 법이 없었으며, 철근도 새것 같았다.

나는 그 비결을 이렇게 보았다.

"교장도 처리 부서도 돈을 바라지 않았고, 시공 업체도 양심적이었기 때문에 공사 품질이 이렇게 좋게 나올 수 있었다."

고육지책으로 땅을 돌려받다

1960년, 나는 대리로 총무 주임직을 맡고 곧 큰 도전에 직면했다. 군인 가족에게 빼앗긴 학교 토지를 환수하는 일이었다. 학교 뒤편 철조망 근처의 땅이었는데, 부근의 군인 가족이 4분의 3을 점유해 채소를 심고 대나무 울타리를 치고는 안에 집을 지은 상태였다. 세 명의 주임이 거쳐

갔지만, 모두 토지를 환수하지 못했다.

나는 하루라도 빨리 처리하지 않으면 철거하기가 점점 더 힘들어질 것이라고 판단했다. 어렵기 때문에 더욱 해결해야 했다. 해결하지 않으면 일이 더 꼬일 테니까 말이다. 군인 가족은 막무가내였는데, 원래 군인에게는 그런 기질이 있기 마련이었다.

나는 행동이 빠르고, 내뱉은 말은 반드시 행동으로 옮겼다. 나는 학교의 모든 일꾼을 이끌고 카메라를 든 채로 집을 철거하러 갔다. 군인 가족은 빗자루와 몽둥이로 맞섰다. 학교 일꾼 대부분이 퇴역 군인이라는 것을 알아차린 군인 가족은 모두 나에게 돌진했고, 나는 피하지 못한 빗자루와 몽둥이를 그대로 얻어맞을 수밖에 없었다. 그러던 중 손등을 대나무 빗자루에 세게 맞아 피가 줄줄 흘렀다. 나는 일꾼들에게 멈추라고 지시하고, 사진 기사에게 얼른 사진을 찍어 현상하라고 했다. 그리고 서둘러 병원으로 가 상처의 진단서를 뗐다. 나는 사진과 진단서를 가지고 바로 2군단 사관처 가족관리구의 책임자에게 갔다.

"군인 가족이 국유지를 점령하고 폭력을 휘둘러 상해를 입혔는데, 가족관리구에서 책임질 겁니까? 만약 책임지지 않는다면 육군 총본부를 찾아갈 겁니다."

가족관리구는 바로 사과하고, 얼른 일을 처리해 주었다. 그들은 가족관리구 촌장을 불러 긴급회의를 연 후, 그날 밤 당장 점유한 토지를 깨끗이 정돈하라고 지시했다. 그리고 앞으로 다시는 토지를 불법으로 소유하지 말 것이며, 이를 어길 때는 섬으로 추방할 것이라고 말했다.

다음 날 내가 현장에 가보니 불법 점유 지역은 아주 깨끗하게 정리

되어 있었다.

손등의 상처는 20여 일 후에야 꿰맬 수 있었다. 하지만 나는 문제를 해결했기 때문에 다친 보람이 있다고 생각했다. 만일 내가 매를 맞지 않았다면 이렇게 빨리 문제를 해결할 수는 없었을 것이다. 모든 일에는 희생과 고생이 따르는 법이었다.

몇 년을 질질 끌어 온 문제를 내가 단번에 해결하는 것을 보고 사람들은 나를 다시 보게 되었다.

소동을 미리 막다

어느 날 총무 주임이 나를 부르더니 심각한 표정으로 이야기했다. 계도부 직원 첸전(钱朕)이 교장이 너무 독단적이라면서 학부모 회의 때 모두 앞에서 악행을 모조리 까발리겠다고 했다는 것이다. 주임은 근심에 휩싸였다. 첸전이 난리를 피우면 교장을 볼 면목이 없다고 했다. 나의 일 처리 능력을 믿은 주임은 나에게 일을 부탁했다.

나는 먼저 일꾼 네 명에게 밥을 산 후 사건의 자초지종을 설명했다. 그리고 학부모 회의 날 식사 시간에 내가 첸전 옆에 앉을 테니 그 근처에 네 명 모두 앉아 달라고 부탁했다.

학부모 회의가 열리는 당일, 요리가 상에 오르자 술 두 모금을 들이켠 첸전이 일어서서 말했다.

"학부모 여러분, 제가 이 자리를 빌려 몇 마디 하려고 합니다……."

그러나 그가 말을 마치기도 전에 내가 일어나 말을 시작했다.

"내가 조금만 마시라고 했지? 밥도 먹기 전에 웬 술을 이리도 많이 마신 거야!"

그리고 내 말을 신호로 일꾼 네 명이 일어나 그를 둘러싸더니 연회장 밖으로 끌고 나갔다. 나는 다른 사람들에게 첸전이 술을 너무 많이 마셔서 잠시 쉬었다 와야 한다고 둘러댔다.

밖으로 나온 나는 첸전에게 말했다.

"자네 편식하면 쓰나? 우리 좡위안루(당시 가장 좋은 음식점_옮긴이)에 가서 먹지. 먹고 싶은 것 있으면 마음껏 주문하라고."

우리는 자리를 옮겨 즐겁게 식사했고, 한바탕 소동은 이렇게 해결되었다.

주임은 나를 칭찬하며 식사비를 주겠다고 했지만, 나는 이런 돈을 공금으로 처리할 수는 없으며, 누가 내든 마찬가지니 괜찮다고 했다. 하지만 사실 그 한 끼에 꽤 큰돈이 들어 나의 한 달 월급을 모조리 식비로 쓰게 되었다. 그럼에도 나는 돈은 부차적인 일이고, 문제를 해결하는 것이 가장 중요하다고 생각했다. 무슨 일이든 희생이 따르는 법이니 말이다.

학생의 권리를 지켜 내다

1967년에 가오슝 여자사범학교는 가오슝 사범대학으로 바뀌었는데, 그해에는 학생을 선발하지 않았지만 아직 졸업이 2회 남은 상태였다. 떠날 직원은 떠나고, 아직 갈 곳을 찾지 못한 직원은 교육청에서 학교를 배정해 주었다.

교장은 나에게 타이베이의 고등학교로 가라고 했지만, 나는 거절했다. 나는 학교 부지도 직접 징수한 데다 이곳에서 소송을 걸기도 하고, 싸우기도 하고, 철철 피를 흘리기도 한 탓에 이 학교에 각별한 애정을 가지고 있었다. 나는 피난을 떠나 밖을 떠돌면서부터는 머무를 곳만 있으면 그만이라고, 직책이 높든 낮든, 어딜 가든 나는 그저 난민일 뿐이라고 생각했다.

마지막에는 열 반이 남아 있었는데, 나는 실습보도실에서 실습수업을 배정하고, 졸업 후에 학생의 근무처를 배정하는 업무를 담당했다. 원래는 네 명이 맡아야 할 일이었지만, 나 혼자서 전부 도맡았다. 주임의 자리에 올랐던 나였지만, 그때는 다시 일개 직원이 되어 일하고 있었다. 하지만 나는 그런 것에 전혀 신경 쓰지 않았다.

규정에 의하면 사범학교에서 성적이 우수한 학생은 사범대학에 추천받을 수 있었다. 한 졸업생이 직장에서 3년을 근무하고 추천서를 신청했는데, 등록부에서 이제 사범학교는 사실상 없어진 것이나 마찬가지라며 서류를 처리해 주지 않았다. 나는 교육청 규정을 속속들이 알고 있었는데, 학교가 없어졌다고 해도 학생은 10년간은 추천받을 권리가 있었다. 내가 이렇게 말했지만, 등록부에서는 받아들이지 않았다.

사범학교의 오랜 동료 한 명은 학교가 없어졌으니 학생 추천도 당연히 불가능한 것 아니냐며 갈등을 일으키지 말라고 내게 당부했다. 하지만 나는 교육 법령이 명문화된 규정으로 학생의 추천받을 권리를 보장하고 있으므로 그 누구도 그 권리를 박탈할 수 없다고 주장했다.

결국 이 문제는 총장 귀에까지 들어갔고, 교육청에 자문해 본 결과, 나의 주장이 옳은 것으로 드러났다. 그 후로 10년 동안 100명에 가까운 학생들이 추천을 받았다.

학생 추락사 사건

1972년 10월의 어느 새벽, 나는 잠결에 학생의 비명 소리를 들었다. 한 학생이 경치를 즐기며 4층 건물 옥상에서 산책하다가 그만 추락하고 만 것이었다. 당시 그 건물은 북쪽을 제외한 세 면만 담장을 두른 상태였다. 북쪽은 기숙사 건물과 연결하느라 아직 담장을 쌓지 않았는데, 불행히도 밤중에 앞이 잘 보이지 않아 그런 일이 생기게 된 것이었다.

학교는 이 사건 처리를 전부 나에게 맡겼다. 나는 먼저 학부모의 마음을 위로하고, 관과 수의를 가장 좋은 것으로 골랐다. 가족에게 조금이라도 위로가 되기를 바랐기 때문이다. 나는 빈소로 가서 하룻밤을 보냈는데, 아까운 젊은이가 이렇게 생을 마감한다고 생각하니 안타까움에 눈물이 쏟아져 나왔다. 학생의 가족은 이런 나의 모습을 보고 적잖이 위안을 받은 듯했다.

나는 마음을 터놓고 적극적으로 보상금과 위로금 문제를 논의했는데, 학부모 측에서는 10만 타이완달러를 제시했고, 합당하다고 생각한 나는 전력을 다해 돕겠다고 말했다. 사실 10만 타이완달러는 결코 적은 액수가 아니었다. 학교 측에서는 그런 경비를 감당할 예산이 없었다.

나는 가장 먼저 건설 회사를 찾아가 도의적인 책임을 물었다. 비록 연결 공사 관계로 아직 담장을 쌓지 못한 것이지만, 그 어떤 안전장치도 하지 않았으니 책임을 회피할 수는 없었다. 건설 회사는 처음에는 학교 책임자가 다음 학기에 기숙사와 연결할 것이니 담장을 칠 필요가 없다고 말했다며 책임을 모면하려 했다. 그래서 나는 책임자를 찾아가 끝까지 파고

들었다. 책임자의 노여움을 사 다음 학기 공사를 맡지 못할까 봐 겁이 난 건설 회사 측은 결국 6만 타이완달러를 내놓았다.

부족한 돈은 여러 모금을 통해 조달했다. 학생 전체 모금으로 5,000 타이완달러가 모였고, 나는 솔선수범하여 한 달 월급을 기부했다. 당시 나의 한 달 월급은 약 3,500타이완달러였다. 한 주임은 깜짝 놀라 "그렇게나 많이 기부하나?"라고 말했다.

나는 늘 일에는 희생이 필요하다고 믿었다. 만일 내가 많이 기부하지 않았다면 다른 사람들이 선뜻 동참했겠는가? 교수도 아닌 내가 많이 기부하니 교수들은 체면상 그보다 적게 낼 수가 없었다. 결국 이렇게 해서 배상금이 채워졌고, 사건은 원만히 해결되었다.

다시 공사 감독을 맡다

1981년, 사범대학은 구교사를 철거하고 지금의 행정관, 도서관, 교육관, 정문 및 담장을 짓기 시작했다. 예산은 1억 8,000만 타이완달러였으나 추후에 2억 타이완달러로 늘어났다. 당시의 학장은 린칭장이었는데, 그는 훗날 중정(中正) 대학을 설립했으며, 교육부 장관이 되었다.

나는 이때 정년퇴직한 상태였지만, 학교에서 열리는 국민당 소모임 회의에 참석했을 때 누군가의 소개로 린칭장 학장을 알게 되었다. 그는 내가 공사 감독을 맡았을 당시의 공사 품질에 대해 익히 들어 여자사범학교를 철거할 때도 공사 감독으로 부르고 싶었지만 퇴직한 뒤여서 어쩔 수 없었다고 이야기했다. 그는 나를 추어올렸다.

"지금도 아주 젊어 보이시네요."

그때 나의 나이 이미 일흔이었지만, 겉보기에는 쉰 살 정도로 보였다.

회의가 끝나자 그는 나에게 공사 감독을 맡아 줄 것을 부탁했다. 나는 아직 건강하고 책임감이 있었다. 게다가 구교사를 철거할 때 철거 회사 사장에게 많은 건물을 뜯어냈지만 이렇게 견고하고 창문이 새것 같은 건물은 처음이라는 말을 들을 만큼 꼼꼼하고 완벽하게 공사를 진행했다.

"저는 전문가는 아니에요. 그저 남들보다 조금 더 열심히 했을 뿐이죠."

"그거면 충분합니다. 전문적인 것은 설계사가 할 테니까요. 전 회사 측에서 부른 감독을 믿지 못해 도움을 요청하는 겁니다. 돈은 많이 못 드리지만요."

나에게 돈은 중요하지 않았다. 나는 어쨌든 학장이 먼저 나를 찾아 주었으니 요청을 받아들이는 것이 옳다고 생각했다. 다만 먼저 3개월을 맡겨 보고 만약에 마음에 들지 않으면 다른 전문가를 찾는 조건으로 진행하고 싶다고 제안했다. 3개월이 지난 후 나는 자리에서 물러나려고 했지만, 학장이 만류해 완공 때까지 계속 일을 맡게 되었다.

교육관 시공 첫날 시멘트 열 트럭이 도착했다. 보통 시멘트 강도를 측정할 때 앞쪽에 있는 트럭 몇 대만 하는 것이 보통이었지만, 나는 트럭 열 대를 모두 하나하나 검사했다. 규정상으로는 15에서 20까지가 합격 기준이었지만, 나는 20 이하는 전부 불합격 처리했고, 그렇게 오전에 트럭 열 대를 전부 돌려보내자 건설 회사 책임자는 잔뜩 화가 났다.

"이런 식으로 하면 우리는 뭐 먹고 살라는 말입니까?"

"이런 시멘트로 건물을 지으면 우리는 어떻게 살라는 말입니까?"

나도 지지 않고 반박했다.

“시멘트 강도가 요구치에 못 미치지 않습니까? 조금 차이 나는 건 괜찮다고 하지 마십시오. 작은 차이도 우리에게는 상관있습니다.”

내가 이렇게 말하자 건설 회사 책임자는 군말 없이 전부 교환해 주었다.

한번은 타일 문제로 갈등을 겪기도 했다. 회사 측에서 말없이 타일을 바꾸어 시공하려다 나에게 발각된 것이었다. 회사 측에서는 상표는 다르지만 품질과 재료는 똑같으니 상관없다고 말했다. 하지만 나는 허락하지 않았다. 아무리 품질과 재료가 똑같은 것이라 해도 처음 발주한 대로 사용하지 않으면 내가 이득을 취하는 것처럼 보일 수 있었다. 내가 반대하자 회사 측에서는 야간에 몰래 타일을 들여왔다가 나에게 들켰고, 결국 도로 회수해야 했다.

건설 회사의 일 처리가 미흡하면 나는 대금 결제를 미루고 개선을 요구했다. 건설 회사 측의 심기를 건드리는 것은 두렵지 않았다. 나의 요구는 합리적인 것이었고, 스스로 득 보려고 하는 것도 아니었기 때문이다. 나의 요구는 까다로웠지만, 나중에는 건설 회사에서 파견한 책임자와 좋은 친구가 되었다. 사실 나는 말도 많지 않고, 잔소리도 없었으며, 그저 설계도대로 시공할 것만 요구했기 때문이다.

그 또한 내가 구리를 지켜 준 일을 고마워했다. 1984년 섣달 그믐날 밤, 한 차량이 경비 직원이 모두 집에 돌아갔을 것이라 생각하고 공사 현장에 진입했다. 하지만 그 사람은 내가 그곳에서 자고 있는 것은 알지 못했다. 인기척에 밖을 살펴보니 한 남자가 구리를 챙겨 막 현장을 떠나려

하고 있었다. 나는 구리를 왜 가져가는지 물었다.

"사장님이 가져오라고 지시하셔서요."

"사장님 존함이 어떻게 됩니까?"

상대방은 답하지 못했다.

"꼼짝 마!"

나는 침착하게 대응했다. 틀림없는 도둑이었다.

"경찰에 넘기지는 않을 테니, 어서 돌아가서 명절이나 잘 보내게. 당신은 사장님이 보낸 게 아니야. 사장님 이름도 모르지 않나? 사장님이 보냈다고 해도 낮에 왔겠지, 11시가 다 된 이 시간에, 그것도 그믐날 밤에 왔겠나? 당신을 경찰에 넘길 수도 있지만, 가족도 설을 쇠야 할 테니까 그런 매정한 일은 하지 않겠네. 마지막으로 경고하는데, 다시는 여기에 얼씬거리지 말게!"

자초지종을 들은 건설 회사 책임자는 내가 신기하다는 듯이 물었다.

"정말 대단하시네요. 설을 보내라고 도둑을 풀어 주다니……. 보통 사람 같으면 화가 나서 끝장을 봤을 텐데 말입니다."

구리 한 트럭은 50만 타이완달러나 했으니, 도둑맞았다면 타격이 컸을 것이다. 나는 손실이 없으니 그걸로 됐다며, 명절인데 구태여 기분 망칠 일 있느냐고 대꾸했다. 나는 상대방도 불쌍한 사람이니 관용을 베풀 때는 상황까지 고려해 주어야 한다고 생각했다.

나는 공사가 시작된 날부터 공사 현장으로 거처를 옮겨 줄곧 그곳에서 지냈다. 설날에도 머무르면서 누가 드나드는지 꼼꼼히 체크했고, 어린아이가 다가오면 못 오게 막아 사고를 예방했다. 이렇게 신중하게 공사 현장을 지킨 덕에 3년이라는 공사 기간 동안 안전사고가 단 한 건도 발생하지 않았다.

나는 2년 반 동안 받은 급여도 전부 학교에 기부했다. 이를 두고 어떤 사람은 미련하다고 했고, 어떤 사람은 뇌물을 하도 많이 챙겨 월급이 필요 없는 것 아니냐며 의심했다. 나는 시간이 모든 것을 증명해 줄 것이라 믿고 애써 변명하지 않았다. 시간이 오래 흘러 건물에 아무런 하자가 없다는 것을 모두가 알게 된다면 내가 뇌물을 챙기지 않고 좋은 자재를 썼다는 것이 저절로 증명될 것이었다.

4장

유유자적한 마음

1986년 6월, 독일의 라인 강에는 유람선이
유유히 지나가고 있었다.
유람선에는 다양한 인종의 사람들이 노래를
부르고, 아코디언을 켜고,
나팔과 하모니카를 연주하며 즐거운 한때를
보내고 있었다.
양쪽 강가에는 그림 같은 성과 교회 건물이
세워져 있었다.
그때 갑자기 산둥 말투의 노랫소리가 라인 강에
울려 퍼졌다.
"타이완이 좋아. 타이완이 좋아. 타이완은
부흥의 섬이라네.
애국 영웅, 애국지사들은 모두 그 품에
뛰어들었네……."
노래가 끝나자 승객들은 우레와 같은 박수를
보냈다.
나는 쑥스러운 듯 미소를 짓고는 고개 숙여
감사를 표했다.
나의 첫 해외여행 때의 일이다. 이때 내 나이
일흔다섯이었다.

피난길을 여행처럼

친구들은 나의 마음가짐에 놀라움을 금치 못했다. 나는 말했다.
"피난길이 아니면 어떻게 이렇게 먼 곳까지 올 수 있겠나?
다시는 이런 기회가 없을지 모르니 피난을 여행으로 여기면 좋지 않겠나?"

나는 날 때부터 노는 것을 좋아했는데, 돌이 되기 전에도 장난감만 손에 쥐여 주면 울음을 그쳤을 정도였다. 놀기를 좋아했지만 장난꾸러기는 아니었으며, 다른 아이들과 달리 혼자 노는 것을 좋아했다. 예닐곱 살부터는 선산이나 절에 가서 놀았다. 당시 중국 북부 지역에는 한 집안의 무덤이 모여 있는 선산이 있었다. 선산에는 측백나무가 심어져 있었는데, 무성하게 자라나 여름이면 아주 시원했다.

날이 더울 때면 나는 선산에 가서 놀았는데, 어려서는 장난감을, 커서는 책을 들고 갔다. 비석의 글씨를 구경하다가 피곤하면 제사상이나 나무 아래에서 잠시 눈을 붙이기도 했다. 집에 돌아와 보면 벌써 저녁 먹을 때가 되었지만, 어머니는 하루 종일 코빼기도 안 보이는 데 익숙해 찾지도 않았다. 아버지는 집에 있을 때가 드물고 늘 자유로이 노니는 학처럼 사방을 돌아다닌다고 해서 '무허(慕鶴)'라는 자를 지어 주었다. 어려서부터 나는 집에 있는 것을 좋아하지 않았다.

1948년 겨울, 쉬저우와 방푸 지역이 국민당과 공산당이 대치하는 일촉즉발의 상황에 놓여 있을 때, 나는 망명학교에서 쉬저우로 돌아가는 길에 경극 〈패왕별희(霸王別姬)〉를 보러 갔다가 전투 때문에 발이 묶이고 말았다. 나는 푸젠 성 푸톈 현(莆田縣)에 당나라 매비(梅妃, 당 현종의 총비_옮긴이)의 고향 집이 있다는 이야기를 들었다. 한 시간여를 더 걸어야 했지만, 그냥 지나치기 아쉬워 발걸음을 그쪽으로 돌렸다. 같이 있던 친구들은 나의 마음가짐에 놀라움을 금치 못했다. 나는 말했다.

"피난길이 아니면 어떻게 이렇게 먼 곳까지 올 수 있겠나? 다시는 이런 기회가 없을지 모르니 피난을 여행으로 여기면 좋지 않겠나?"

어린 경극광

나는 여기저기 돌아다니는 것뿐 아니라 경극을 구경하는 것도 무척 좋아했다. 1912년경 비적 떼가 들끓자 시골에 살던 부자들은 성안으로 이주해 화를 피했다. 내가 다섯 살이었을 때 나의 가족도 성안으로 거처를 옮겨 친구의 집을 빌려 그곳에서 살았다.

성안에는 차를 마시며 공연을 관람할 수 있는 곳이 있었는데, 1년 내내 공연이 열렸다. 공연장 맞은편 광장에서는 책 낭송, 악기 연주, 민요 가창 등 온갖 공연이 펼쳐졌다. 그리고 전병이나 양고기 등 각종 간식을 파는 노점상도 들어서서 오후 2시부터 밤 10시까지 많은 사람으로 북

적였다.

떠들썩한 분위기를 좋아하는 나는 물 만난 물고기처럼 매일 거리를 쏘다녔다. 한번은 광장에서 날이 어두워지는지도 모르고 공연에 푹 빠져 있다가 이사 온 지 얼마 안 되어 집으로 가는 길을 찾지 못하고 계속 헤맸다. 나중에 다행히도 한 스님이 절에서 묵고 가도록 하고, 절 입구에 미아를 보호하고 있다는 벽보를 붙였다. 다음 날에야 형이 벽보를 보고 나를 데려갈 수 있었다.

길을 잃는 소동을 겪고도 경극에 대한 열정은 꺾이지 않았다. 여전히 공연장 주변을 어슬렁거려 그곳 주인과 매표원도 나를 알아보고 귀여워했을 정도였다. 내가 공연장 안으로 들어가도 아무도 막지 않았다. 그들은 어린아이라 공연을 볼 줄 모르고 그저 들어가서 노닥거리는 것이리라 생각했지만, 사실 나는 나이는 어렸어도 내용을 다 알고 있었다. 어떨 때는 그날 열리는 공연을 처음부터 끝까지 다 보고, 문을 닫을 때가 되어서야 자리를 뜨기도 했다.

어느 날은 〈이진궁(二進宮)〉이 상연되었는데, 너무 재미있어서 눈을 뗄 수가 없었다. 공연장의 안주인은 호기심이 일었다. 어린아이는 보통 무술이나 묘기가 나오는 대목만 보는데, 이 아이는 어떻게 궁중 암투를 다룬 경극을 저렇게 끝까지 집중해서 보는 것일까? 공연이 끝나자 그녀는 나를 붙들고 경극 제목을 아는지 물었다. 나는 제목뿐만 아니라 줄거리도 술술 이야기했다. 그녀는 아주 기뻐하며 나를 끌어안았다.

"정말 똑똑한 아이로구나. 이렇게 어린 아이가 경극을 좋아하다니."

그때 옆에 있던 사람이 끼어들었다.

"이 아이가 누군지 아시오? 리 씨네 셋째 나리인 '흑대인'의 외손자요."

흑대인은 외할아버지 리간칭의 별명으로, 할아버지는 천하제일반이라는 경극단의 전 단장으로 지역에서 아주 유명했다. 그날 이후 나를 보는 공연장 사람들의 눈이 달라졌다. 그들은 그때부터 내가 어른이 될 때까지 돈을 받지 않았으나, 나는 공짜로 보는 것이 무안했다.

경극 배우들과 교류하다

나는 경극을 아주 좋아하고 지식도 상당했다. 첫 번째 등장인물이 첫 대사를 읊기만 하면 경극 제목은 물론이고 무슨 배역을 연기하는지까지 바로 알아맞힐 정도였다.

나는 또한 여러 배우들과 알고 지냈다. 경극단이 6월, 12월에 휴식기에 들어가면 그들을 찾아가 함께 놀곤 했다. 당시 배우의 지위는 비천해서 많은 사람이 그들을 깔봤지만, 나는 경극을 일종의 예술로 생각했으며, 배우들과 자연스럽게 어울리며 타인의 시선에 신경 쓰지 않았다.

나는 여섯 살에 〈추성(追星)〉이라는 경극을 이해했다. 남자 주인공과 여자 주인공은 함께 〈도화암〉이라는 노래를 불렀는데, 두 사람이 만나 사랑을 전하는 장면에서 절로 탄성이 터져 나왔다. 공연이 끝나자 나는 무대 뒤로 달려가 남자 주인공으로 열연한 샤오옌(小燕)을 찾았다. 무대 뒤편으로 관객이 들어가는 것은 금기였는데, 샤오옌은 어린아이일 뿐이라고 생각해 다른 사람에게 친척이라고 둘러대며 나를 안으로 들어오게 했다. 뒷정리가 끝나자 샤오옌은 나에게 간식을 사주고, 집까지 데려다 주었다. 우리는 이렇게 나이를 초월해 친구가 되었다.

열여덟 살 때 나는 현성(縣城, 현 정부 소재지_옮긴이)에 가서 〈습옥탁(拾玉鐲)〉을 감상했다. 거기서 싼팅(三亭)이라는 배우를 보았는데, 손옥교로 분장한 모습이 아름답고, 노래가 무척 뛰어났다. 특히 부붕과 만났을 때의 수줍은 듯한 연기는 아주 섬세했다.

공연이 끝난 후 나는 싼팅을 만나러 갔는데, 우리는 서로 이야기가 아주 잘 통했다. 원래 싼팅은 부유한 집안의 외아들이었다. 하지만 경극을 너무 좋아한 나머지 학업을 중단하고 집에는 알리지 않은 채 장쑤 성 펑현(豐縣)의 경극 학교에 들어갔다. 그는 목소리도 완벽하고 여자보다 더 여자같이 연기하는 타고난 배우였기에 선생님들은 진귀한 보물을 얻은 듯 기뻐했다. 싼팅의 아버지는 돈을 내밀며 아들을 집으로 보내 달라고 했지만, 학교에서는 제의를 받아들이지 않고 앞으로 싼팅을 통해 돈을 벌어들일 것이라고 했다.

나는 그다음에도 여러 번 싼팅의 공연을 보러 갔는데, 모두 다른 경극이었지만 하나같이 흥미진진해 눈을 뗄 수가 없었다. 공연이 끝났을 때는 10시가 훌쩍 넘어 거리에는 인적이 드물었다. 혼자 집에 돌아갈 엄두가 안 났던 나는 싼팅의 집으로 가 그곳에서 하루를 묵은 뒤 다음 날 집으로 돌아갔다.

싼팅과 나는 경극과 책 이야기를 나누었는데, 싼팅은 경극에 대한 지식이 많았고, 나는 책에 조예가 깊었다. 싼팅은 10여 년간 큰 인기를 얻으면서 부잣집 규수와 도련님들의 사랑을 받았다. 그럼에도 불량한 생활에 빠지지 않고 분수를 지키면서 살았다.

가족은 내가 놀기를 좋아하는 것은 이미 알고 있어 경극을 보러 다니는 것에는 불만이 없었지만, 배우와 친구로 지내는 데는 걱정이 앞섰다. 하지만 나는 배우를 줄곧 예술가로 대했다. 감정이 풍부하고, 가창력이 빼어나며, 분장도 뛰어난 배우, 울 때는 울고 웃을 때는 웃으며, 무서울 때는 무섭고 착할 때는 착한 배우를 찾기란 여간 어려운 일이 아니었다.

나는 타이완에 온 후 민난어를 알아듣지 못해도 타이완 전통극 가자희(歌仔戲)를 감상했다. 같은 진샹 현 출신 친구 하나도 가오슝에 살았는데, 그도 지주 출신으로 경극을 즐겨 봤고, 아는 것도 많았다. 그래서 우리는 함께 있을 때마다 옛날에 어떤 배우 가창력이 어땠고 분장이 어땠는지 이야기하며 추억을 되새겼다.

75세에 배낭여행을 떠나다

어떤 사람들은 해외로 여행을 떠나려면 어학 실력도 갖추어야 하고,
돈도 있어야 한다고 주장하며 오랜 시간 준비한다.
하지만 이 조건을 모두 갖추려면 영원히 여행을 떠나지 못할지도 모른다.
영어 실력과 여행을 즐기는 능력은 전혀 상관없으며, 즐기고 싶은 마음이 가장 중요하다.

나는 놀기를 좋아했고, 단독 행동을 좋아했다. 지금까지 외국은 여섯 차례 방문했는데, 유럽, 뉴질랜드, 미국, 일본, 싱가포르 등을 거의 홀로 여행했다. 단체 여행은 번거롭고 시간 낭비가 많아 혼자 놀면서 가고 싶은 곳이 있으면 자유롭게 돌아다니는 것이 좋았기 때문이다.

퇴직 후, 나는 혼자 프랑스로 떠나고 싶어 에펠탑, 개선문, 노트르담 성당 같은 오래된 파리 건축물에 관한 잡지를 자주 들여다보았다. 실제로 현장에 가서 웅장한 모습을 보고 싶은 마음이 굴뚝같았다.

하지만 나는 부족한 점이 많았다.

첫째, 나는 영어를 할 줄 몰랐다. 알파벳 몇 글자와 'Yes', 'No' 같은 아주 간단한 말밖에는 몰라 회화가 불가능했다. 하지만 나는 어딜 가나 중국인은 있을 테고, 독일이나 프랑스에 가면 어차피 영어도 소용없을 것이라고 생각했다. 프랑스에 가서 영어를 쓰면 도리어 무시당한다는 말을 들은 적이 있었다. 나는 '타이완에 오는 외국인들은 중국어를 전혀 몰라도 즐겁게 여행한다. 만일 세계 각국의 언어를 습득해야 여행할 수 있다면 평생 떠나지 못할 것이다'라고 생각했다.

둘째, 나는 돈이 없었다. 지금까지 남에게 돈을 빌린 적도 없었지만, 저축도 거의 하지 않았다. 돈이 있으면 쓰고, 없으면 적게 쓰며 살아왔다. 통장을 보니 당시 저축액은 18만 타이완달러뿐이었다.

셋째, 다른 사람이 보기에 일흔 살 노인이 홀로 외국으로 떠나는 건 큰 모험이었다. 하지만 나는 이 점은 전혀 걱정되지 않았다.

홀로 세상에 나아가다

나는 여행사를 통해 여권과 비자를 준비한 후에 유럽 여행에 나섰다. 길을 떠나기 전에 영국에 사는 제자에게 연락을 취했다. 먼저 영국에서 제자를 만난 다음에 독일, 프랑스 등 다른 나라로 갈 계획이었다.

영국에 도착하자 가오슝 사범대학 영어과를 졸업한 제자 중메이상과 궈마오위안(郭茂源) 부부가 마중을 나왔다. 그들은 오랜만에 나를 만난 것을 기뻐했고, 예전에 그들이 학교에서 공부했을 때와 크게 달라진 것이 없다며 칭찬을 아끼지 않았다. 나는 부부의 집에서 며칠 묵었다.

바로 독일에 가고 싶었지만, 직항 노선은 가격이 비싸 여행 경비를 아끼기 위해 배와 기차를 타고 프랑스에 간 후 다시 기차를 타고 독일로 가기로 했다. 나는 혼자 떠나고 싶었지만, 부부가 같이 가겠다고 해서 함께 프랑스로 향했다. 프랑스에 잠시 머무르는 동안 부부는 친구를 만나러 가고, 나는 자유로이 여기저기 돌아다녔다. 점심은 중국 레스토랑에서 해결했는데, 간 김에 그곳 사람들에게 독일 프랑크푸르트행 기차표를 살 때 보여 줄 메모를 써달라고 부탁했다. 나는 밤에 다시 부부와 만나 독일로 향했다. 기차에는 사람이 그리 많지 않았고, 좌석도 넓어서 잠을 자는 데 별 불편함이 없었다. 이렇게 나는 하룻밤 숙박료를 절약했다.

전화박스에서 하룻밤, 유스호스텔에서 하룻밤

바다를 건넌 후 부부와 나는 헤어져 각자의 길을 떠났다. 나는 기차에서 다시 잠깐 눈을 붙였다. 프랑크푸르트에 도착했을 때는 새벽 2시였다. 많은 사람이 기차 대합실에서 쉬기도 하고, 벽에 기대어 앉거나 잠을 청하는 것을 본 나는 역에서 밤을 보내기로 했다. 6월이었지만 밤에는 쌀쌀해 추위를 견딜 수가 없었다. 그때 옆에 전화박스가 있는 것이 눈에 띄었다. 나는 전화박스 안으로 들어가 문을 닫고 웅크린 채 잠을 청했다. 그 안은 바람이 차단되어 아주 따뜻했다. 아침 7시에 누군가가 깨우기 전까지 나는 그곳에서 푹 잘 수 있었다.

프랑크푸르트를 여행하면서 타이완 청년 네 명을 만났고, 밤에는 그들과 함께 유스호스텔에서 묵었다. 그들은 밖에 나와 보니 집이 그립고, 내가 가족처럼 느껴진다면서 홀로 다니지 말고 자신들과 함께 다니면 좋겠다고 말했다. 그들은 혼자 있기를 좋아하는 나의 성격을 잘 몰랐다. 나는 유럽에 오래 머무를 예정이며, 여행 코스도 서로 달라 같이 다닐 수 없다며 완곡히 거절했다.

그들 중 한 명은 몸이 약하고 위장병을 앓고 있었는데, 나는 어디로 가야 할지 모르거나 어려운 일을 겪었을 때 외교 기관을 찾으라고 일러 주었다. 그리고 각국의 타이완 외교 기관의 전화번호와 주소를 적어 그들에게 건넸다. 첫 출국이었지만 나는 준비성이 철저했으며, 청년들보다도 스스로를 돌볼 줄 알았다.

나는 먼저 라인 강에서 유람선을 타고 선상에서 〈타이완이 좋아〉라는 노래를 사람들에게 들려주었다. 가사는 알아듣지 못했지만, 모두 우렁찬 박수갈채를 보내 주었다.

배에서 내린 후 나는 본으로 향했다. 번화가에서 또다시 타이완에서 온 여행단과 마주쳤는데, 40여 명이 관광차를 타고 있었다. 타지에서 같은 나라 사람들을 만나니 더욱 반가웠다. 그들은 내가 혼자 다니는 것을 보고 같이 다니자고 제안했다. 나는 이번에도 역시 여행 코스가 다르고, 걸음걸이가 느린 나 때문에 모두를 기다리게 할 수 없다고 말하며 거절했다.

그때 한 사람이 주위를 두리번거리며 환전할 은행을 찾았다. 하지만 독일어를 할 줄 아는 사람이 없어 어떻게 물어봐야 할지 몰랐다. 내가 웅장하고 멋진 건물을 가리키며 저 건물이 은행일 것이라고 말했더니 사람들이 그걸 어떻게 아느냐고 물었다. 나는 많은 사람이 계속 드나드는데, 손에는 아무것도 들고 있지 않다고 말했다. 백화점이라면 빈손으로 들어가서 무언가를 들고 나올 텐데 그렇지 않으니 돈을 저금하거나 찾는 것 아니겠느냐고 했다. 다들 함께 가서 보니 과연 은행이었다.

모두 나에게 감탄을 금치 못했다. 그러고는 외국어도 잘 모르면서 어떻게 혼자 여행을 다니나 했더니, 행동이 민첩하고 관찰력이 뛰어나기 때문이었다며 이제야 이해된다는 듯한 표정을 지었다.

"물불 가리지 않는 미련한 노인네라 그렇죠."

나는 자조하며 모두를 웃게 만들었다.

나는 대음악가 베토벤의 생가를 방문한 뒤 쾰른 박물관과 쾰른 대성당을 찾았다. 웅장한 모습에 입이 다물어지지 않았다.

밤에는 큰 배낭을 멘 청년들을 따라가서 유스호스텔에 묵을 수 있었다. 외국 청년들은 활발했고, 말은 안 통했지만 보디랭귀지로 소통하는 것도 재미있었다. 아침에 일찍 일어나 청년들을 깨워 주었는데, 유스호스텔에서는 아침 식사밖에 제공하지 않았기 때문에 다들 고마워했다. 식사를 마친 후 우리는 각자 길을 떠났다.

하지만 여행객은 모두 명소에 몰리는 법. 며칠 후 나는 길에서 청년들과 다시 마주쳤다. 그들은 멀리서 알아보고 손을 흔들었고, 그중 한 명이 나에게 다가와서 나를 힘껏 부둥켜안았다. 나는 쑥스러웠지만, 그곳의 문화에 따라 자연스럽게 받아 주었다. 정말이지 외국 청년들은 순진하고 귀여웠다.

나는 독일에서의 여정을 마치고 프랑스로 돌아갔다. 이때 프랑스 비자는 아직 보름 정도 남아 있었지만, 독일 비자는 이틀밖에 남지 않은 상태였다.

겁내지 않고 도움을 요청하다

독일에서 프랑스로 돌아갈 때 나는 전처럼 야간열차를 타고 하룻밤을 보냈다. 파리에 도착했을 때는 날이 밝아 있었다. 나는 역에서 파리에는 어떤 볼거리가 있는지 살펴보았다. 프랑스어는 할 줄 몰랐지만, 사진은 알아보았다. 역에는 명소를 소개하는 소책자가 있었는데, 나는 그것을 들고 손가락으로 개선문을 가리키며 직원에게 길을 물었다. 그러자 그는 한 무리의 사람들을 가리켰다. 그들을 따라가라는 뜻이었다.

나는 그토록 보고 싶었던 개선문을 직접 보게 되었다. 중국인은 톈안먼(天安門, 천안문)에 자부심을 가지고 있지만, 파리의 개선문만 못하다는 생각이 들었다. 특히 개선문에 얽힌 프랑스 역사가 무척이나 흥미로웠는데, 나폴레옹 평생의 공적이 고스란히 담긴 윗부분의 조각과 마르세유 행진곡(프랑스의 국가_옮긴이)을 기념하는 조각 부분은 정말 걸작이었다.

나는 개선문에서 중국 청년과 마주쳤는데, 그는 표준어는 할 줄 몰랐지만 중국 남부 지역 방언인 커자어(客家語)를 할 줄 알았고, 한자도 쓸 줄 알았다. 우리는 필담으로 소통했다. 그는 푸젠 성에서 프랑스로 이민 온 이민 2세대이며 대학생이라고 자신을 소개했다. 내가 한자를 잘 쓴다고 칭찬하니 부모님이 보수적이라 비록 외국에 있지만 뿌리를 잊어서는 안 된다고 해서 어려서부터 커자어를 배우고 《삼자경》과 《백가성》을 익혔다고 했다. 프랑스에 사는 다른 중국인의 자녀들은 한자를 쓸 줄 아는 경우가 드물었다.

청년은 파리에서 아름다운 곳은 모두 센 강에 있으니 배를 타고 강을 죽 훑으면 파리의 명승고적은 다 본 셈이라고 했다. 센 강은 정말 아름다운 곳이었다. 양쪽 강가의 나무 그늘 아래에는 뭐든 다 있었다. 기념품, 신발, 완구, 책과 잡지 등 재미있는 물건과 간식을 팔고 있었고, 가격도 저렴했다. 뭔가를 사지는 않았지만, 구경만으로도 즐거웠다. 청년의 말대로 나는 사람들에게 길을 묻지 않고 인파를 따라갔는데, 그러면 꼭 좋은 곳이 나왔다. 이런 식으로 나는 파리를 다 돌았다.

나는 나의 숙원 중 하나인 노트르담 성당에 가서 탑에 올랐다. 꼭대기에 오르니 파리 시내 전체가 한눈에 들어와 기분이 상쾌했다.

루브르 궁에서는 세계적으로 유명한 모나리자를 봤는데, 웃는 듯 웃지 않는 듯 알 수 없는 표정이 신비로웠다. 인상적인 것은 관람객들이 무척 많았지만 모두가 숙연한 분위기에서 조용히 감상한다는 점이었다. 나는 수박 겉핥기 식으로 감상했지만, 감상할 줄 모르는 것은 아니었다. 루브르 궁 안의 작은 개선문은 시내에 있는 개선문처럼 웅장하지는 않았지만, 조각이 아름답고 예술적 가치도 더 뛰어났다.

그다음에는 가로수가 우거진 샹젤리제 거리를 천천히 거닐었는데, 아름다운 나무와, 도로 양쪽으로 질서 있게 늘어선 건축물, 그리고 인도 옆의 노천카페는 아직도 기억에 생생하다.

나는 어디를 가든지 학교 구경을 가장 좋아했는데, 해외에서도 마찬가지였다. 파리의 최고 학부 소르본 대학(Université de la Sorbonne)을 그냥 지나칠 수 없었다. 고색창연한 문화의 향기가 풍겨 나왔지만, 영국의 캠브리지 대학(University of Cambridge)에 비하면 조금 부족한 듯했다.

파리 구경을 마친 후 나는 열차를 타고 리옹으로 향했다. 우즈후이(吳稚暉, 중국 근대의 사상가이자 정치가, 교육가_옮긴이)가 세운 해외 유일의 중국 대학인 중불 대학(Institut Franco-Chinois de Lyon)을 방문했고, 리옹 시내에서 시골 지역까지 두루 둘러본 후 스위스 접경 지역의 작은 마을을 찾았다.

나는 리옹에서 파리로 가는 쾌속 열차 시간에 맞춰야 했는데, 버스가 한 시간 후에나 도착할 예정이었다. 나는 길거리를 배회하다가 타이완 유학생과 마주쳤다. 그도 마침 리옹으로 가는 버스를 기다리고 있었다. 나는 그에게 택시를 타고 갈 수는 없는지 물었는데, 그는 일요일에는 택시를 운영하지 않으며, 이곳 사람들은 타이완에서처럼 필사적으로 일하지 않는다고 말했다.

그때 옆을 보니 프랑스 청년 한 명이 세차하고 있었다. 유학생에게 차비를 넉넉히 낼 테니 리옹까지 태워다 줄 수 있는지 물어봐 달라고 했다. 그러나 그는 외국인은 중국인처럼 쉽게 남의 부탁을 들어주지 않는다며 부정적인 반응을 보였다. 그렇다고 쉽게 포기할 수는 없었다. 나는 그 청년에게 다가가 허리 굽혀 인사한 후 유학생에게 통역을 부탁했다. 예상외로 청년은 흔쾌히 제안에 응했고, 우리는 차에 올라탔다.

리옹 기차역에 도착한 후 나는 프랑스 청년에게 얼마를 내면 되느냐고 물었다. 청년은 돈은 필요 없다고, 사정이 급해 보이는 데다 정중하게 부탁하기에 태워 준 것뿐이라고 말했다. 나는 가방에서 초콜릿 두 개를 꺼내 건네주고 악수로 감사의 뜻을 표시했다.

유학생은 이렇게 좋은 사람을 만나다니 운이 정말 좋았다고 말했다.

"일흔이 넘은 연세에 혼자 여행을 다니시다니 대단하세요. 저는 도움을 요청할 엄두도 안 났는데…… 정말 많은 공부가 됐습니다."

그는 몰랐겠지만, 나는 피난 과정에서 몇 번이고 죽을 고비를 넘겼고, 타이완에서도 이곳저곳을 전전하며 살아갈 방도를 찾았던 사람이었다. 만약 내가 쉽게 포기하는 사람이었더라면 오늘날 결코 이 자리에 서서 풍경을 감상할 수는 없었을 것이다. 사람은 기회가 있으면 도전해야 한다. 시도해야 일말의 희망이라도 있지, 시도하지 않으면 희망도 없고, 소망을 이룰 수도 없다.

런던에서 요리 실력을 선보이다

그다음 목적지는 런던이었다. 나는 다시 중메이샹 부부 집에서 한 달을 머물렀다. 한 친구가 부부에게 일흔이 넘은 노인을 집에 재우면 무슨 사고라도 나지 않을까 걱정되지 않느냐고 물었다. 부부는 그런 걱정은 전혀 없다고 답했다. 부부는 자오 선생님은 매일 집을 깨끗이 치워 주고, 밤에 집에 가면 따뜻한 밥을 해놓고 기다리고 있으며, 뒤뜰의 울타리도 손봐 준 덕에 1,000파운드(1파운드는 우리 돈 약 1,800원에 해당한다_옮긴이)나 절약할 수 있었다고 말했다.

사실 타이완 기숙사의 자전거 차고도 나 혼자 만든 것이었다. 나에게 울타리쯤은 일도 아니었다. 부부가 공구상자와 못 쓰는 나무 상자를 가져다주면 내가 나무판을 하나하나 뜯어낸 다음 땅에 묻고 시멘트를 부어 울타리를 만들었다. 만드는 데 일주일가량 걸렸다.

런던에는 타이완 교포들이 많았는데, 서로 돌아가면서 식사를 대접하는 것이 관례였다. 나도 중메이샹 부부와 동행했다. 그 자리에는 얼마 전 알게 된 중국학교의 교사도 함께했다.

며칠 전에 나는 런던의 중국학교를 구경하러 갔는데, 학교 측에서는 행사를 준비하고 있었다. 그때 붓글씨를 쓸 일이 있었는데, 아무도 나서지 않았다. 나는 자진해서 붓을 들어 '전 세계의 형제들이여, 중화 문화를 온 세상에 널리 알려라'라고 썼다. 나로서는 글씨가 썩 마음에 들지 않았지만, 사람들은 모두 감탄을 터뜨리며 칭찬 세례를 퍼부었다. 교사는 나에게 감사 인사를 전하고는, 자신도 자오 씨니 500년 전에는 한식구였을 거라면서 며칠 후에 식사에 초대했다. 그 후로 교포들은 모두 나를 알게 되었고, 식사 자리에 내가 손님으로 오기를 바랐다. 교포들은 보통 집이 아닌 식당에서 식사를 대접했다.

중메이상 부부가 초대할 차례가 되었을 때, 나는 평소 손님들에게 대접하는 요리를 보면 수육이나 샐러드, 과일 정도니까 내가 직접 만들면 돈을 절반가량 절약할 수 있을 것이라고 말했다. 부부가 재료를 사왔고, 내가 혼자 주방에서 솜씨를 발휘했다. 얼마 지나지 않아 먹음직스러운 타이완 수육, 만두, 파전병이 완성되었다. 총 열두 접시의 요리가 상에 올랐고, 다 먹지 못해 남은 것을 손님들이 싸갔을 정도였다. 사람들은 이역만리 타국에서 먹기 힘든 고향 요리를 맛있게 먹었으며, 요리에 대한 칭찬이 끊이지 않았다. 나는 교포들에게 파전병 만드는 법을 가르쳐 주기도 했다. 사실 나의 고향에서는 남자들이 주방 출입을 하지 않았지만, 나는 피난을 다니는 동안 자연스럽게 요리를 익힐 수 있었다.

중메이상 부부는 휴일이면 나를 데리고 이곳저곳을 구경 다녔다. 때로는 관광차를 타고 하루 종일 돌아다니기도 했다. 부부가 출근하는 평일에는 나 혼자라도 밖으로 나갔다. 나는 알파벳도 제대로 몰랐지만, 겁 없이 전철을 타고 시내를 돌아다녔다. 유명한 명소는 거의 둘러보았는데, 한 번도 길을 잃은 적이 없었다.

버킹엄 궁의 근위병 교대식은 지금도 기억에 생생할 정도로 멋있었다. 인파로 발 디딜 틈조차 없었지만, 매우 엄숙했으며, 떠드는 사람도 전혀 없었다. 기마대의 장식은 무척 아름다웠는데, 말안장, 말등자, 말굴레 모두 하나같이 반짝반짝 빛나고 깔끔했다. 기마대와 의장대는 대형을 자주 바꾸었지만, 대열은 전혀 흐트러지지 않았다. 민첩한 말이 기마병과 한 몸처럼 움직이던 그 아름다운 장면을 영원히 잊을 수 없다.

런던 근교의 관광지도 많이 돌아다녔다. 햄프턴 궁, 워릭 성, 셰익스피어 생가……. 물론 캠브리지 대학과 옥스퍼드 대학(Oxford University)도 놓치지 않았다. 나는 윈저 공의 성을 구경하면서 그 성의 아름다움에 흠뻑 빠져들었다. 이렇게 아름다운 성에서 그토록 아름다운 미인과 함께 지내다니……. 왕위를 버리고 이곳으로 온 윈저 공의 마음이 이해가 갔다.

나는 이렇게 5개월가량 유럽을 여행하면서 16만 타이완달러(약 600만 원)밖에 쓰지 않았다. 다른 사람은 엄두도 나지 않는 일일 테지만 일흔다섯의 나는 훌륭히 해냈다. 나는 이렇게 생각했다.

'사람은 마음만 먹으면 뭐든지 할 수 있다. 원하고 원하지 않고의 차이가 있을 뿐.'

뉴질랜드 여행

우리가 원주민 마오리 족의 마을을 방문했을 때,
추장은 여행객들과 사진을 찍고 싶어 하지 않았다.
하지만 나를 보고는 자발적으로 단체사진을 찍으려 했고,
돌아갈 때 목각인형을 선물하기도 했다.

1989년, 가오슝 사범대학 출신의 천수이파(陳水發)가 뉴질랜드로 이민을 가게 되었는데, 함께 가서 여행하지 않겠느냐고 제안했다. 유럽 여행을 통해 해외여행에 자신감이 붙은 나는 크게 고민하지 않고 여권을 그에게 넘기고 전권을 위임했다.

뉴질랜드에 도착한 우리는 차를 운전해서 북섬에서 남섬까지 돌기로 했다. 가는 도중에 타이완과 싱가포르 청년들을 만났는데, 나는 원래 낯선 사람을 두려워하지 않는 데다가 젊은이들을 도와주고 싶은 마음이 생겨 적극적으로 동행을 제의했다. 그래서 다섯 명이 함께 길을 떠나게 되었다.

나는 해외여행 경험이 그리 많지 않았지만, 오랫동안 일한 경험을 살

려 각자에게 적절한 역할을 부여했다. 운전할 줄 아는 사람은 돌아가면서 기사가 되고, 나는 요리를 하거나 도시락을 준비했으며, 젊은이들은 주변 정리를 도맡았다. 모두 손발이 잘 맞았고, 비용을 똑같이 분담해 즐겁게 여행하면서 경비도 아낄 수 있었다.

우리가 원주민 마오리 족의 마을을 방문했을 때, 추장은 여행객들과 사진을 찍고 싶어 하지 않았다. 하지만 나를 보고는 자발적으로 단체사진을 찍으려 했고, 돌아갈 때 목각인형을 선물하기도 했다. 아마도 나이가 많은 나에게 특별히 예를 갖춘 것 같았다. 나 또한 그 선물을 기쁜 마음으로 받아들였다.

뉴질랜드는 땅은 넓지만 차도 사람도 적어 오후 내내 고속도로를 달리는 동안 지나가는 차를 세 대밖에 못 봤을 정도였다. 우리가 지나는 길은 전혀 오염되지 않은 청정 지역으로, 강과 도랑은 바닥까지 들여다보였으며, 초원이 무척 아름다웠다. 한껏 정취에 달아오른 나는 즉석에서 시를 읊었다.

"마치 대지에 양탄자가 깔려 있는 듯하구나."

그 밖에도 박물관이 아주 많아 인상적이었다. 작은 마을에 들렀을 때 미니 박물관을 발견했는데, 골동품을 좋아하는 영국 노부부의 집이었다. 노부부는 집을 국가에 기증하고 세상을 떠났으며, 약 660제곱미터에 이르는 공간은 각종 수집품으로 가득했다.

내가 가장 감동받은 것은 그곳 사람들의 온화하고 순수한 모습이었다. 숙소를 빌리면 주인에게 열쇠를 맡기지 않고 자유롭게 드나들 수 있었으며, 퇴실할 때도 주인이 없어진 물품은 없는지 확인하지 않았다. 믿음과 존중을 받은 느낌이었다.

내가 참을 수 없었던 유일한 점은 현지인들이 한 시간에 한 번씩 쉬면서 차도 마시고 간식도 먹는 등 즐겁고 가벼운 마음으로 일한다는 것이었다. 공항의 안내 데스크 직원도 마찬가지였다. 하지만 나는 급해도 그 사람은 급할 게 없으니, 그저 웃어넘기는 수밖에 없었다.

우리는 웰링턴에서 경비행기를 타고 남섬으로 향했다. 여섯 명이 탑승하는 작은 비행기였는데, 비행기가 작아 이륙할 때 흔들림이 심하고 불안정하자 천수이파의 안색이 창백해졌다. 나는 미소를 지으며 그를 안심시켰다.

"비행기가 하늘에 떴으니 목숨은 하나님께 맡겨야지. 모든 것을 운명에 맡기면 두려울 것도 없어. 삶과 죽음은 하나야. 죽으면 수장하든 화장하든 매장하든 다 똑같아."

산전수전을 다 겪은 나의 말은 그 누구의 말보다 깊이가 있었다. 단지 그가 이 말을 받아들일지가 문제였다.

나는 뉴질랜드를 여행하면서 아주 좋은 인상을 받았다. 숙박비, 식비 모두 저렴했고, 치안도 아주 좋았으며, 자연환경 또한 매우 수려했다. 자동차로 함께 여행하면서 경비도 아낄 수 있었고, 여럿이 함께하다 보니 즐거움도 배가되었다.

뉴질랜드에서 타이완으로 돌아갈 때는 노선이 결항되어 일단 싱가포르까지 간 뒤 다시 타이완행 비행기를 타야 했다. 싱가포르에 잠시 머무를 때 싱가포르 청년의 아버지가 아들을 보살펴 주어 고맙다며 많은 토산품을 선물했다. 1994년에 싱가포르 청년은 타이완에서 사업을 했고,

나의 집에서 며칠 묵기도 했다. 인정을 베풀면 어디에서든 아름다운 인연을 만들 수 있는 법이다.

미국 여행

퇴직한 지 20여 년이 지났지만, 나는 제자들의 이름을 모두 기억하고 있었다.
과거의 청춘들이 불혹에 이르러 각자 성취를 이룬 것을 보니 마음에 큰 위안이 되었다.

1989년 뉴질랜드에서 타이완으로 돌아온 후, 나는 손자를 타이완으로 데려오기 위해 수속을 밟았다. 그 후 10년 가까이 손자를 돌보느라 바쁘게 지냈고, 결국 손자는 대학에 합격했다. 1998년, 미국에 있는 군대 동기와 상사가 나를 초대했고, 마침 바쁜 일도 끝낸 데다 한동안 해외여행을 하지 못한 터라 여행을 다시 떠나 보기로 마음먹었다.

옛 군대 동기는 전역한 후 미국으로 건너가 사업을 했는데, 몇 년이 흐르면서 사업도 가정도 안정 궤도에 올라섰다. 그들은 내가 퇴직하고 나서 집에서 한가로이 지내는 줄 알고, 움직일 수 있을 때 돌아다녀야지 나중에는 기력이 달려 못 다닌다며 여행을 적극 권유했다. 그들은 내가 일찌감치 유럽과 뉴질랜드를 다녀온 것을 모르고 있었다.

이때도 금전적인 여유가 거의 없었는데, 저축액이 8만 타이완달러도 되지 않았다. 그래서 2만 타이완달러를 추가로 모은 후 이 정도면 충분하다 싶어 미국으로 출발했다.

싱가포르를 경유했는데, 공항에서 우연히 영국에서 알게 된 부인과 마주쳤고, 싱가포르에서 며칠 놀다 가라는 권유를 받았다. 부인은 내가 예약한 숙소를 취소하고 자신의 집에 묵게 했고, 나는 성의를 무시할 수 없어 순순히 응했다.

하루는 싱가포르 중심의 산 정상에 올랐는데, 싱가포르 시내 전체가 한눈에 들어오는 것이 정말 아름다웠다. 나는 싱가포르 국토가 이렇게 좁은데도 국민들의 생활수준은 높고, 길거리에 차가 이렇게 많은데도 질서 정연하고 교통 체증도 없다며 감탄했다. 나는 모두가 규칙을 잘 준수하는 이유가 벌금이 비싸기 때문은 아닐까 하는 생각이 들었다.

이윽고 싱가포르를 떠나 미국의 샌프란시스코로 향했다. 나는 군대 동기의 집 근처에서 며칠을 머문 뒤 더 멀리 나가 보기로 했다. 여행사를 통해 9박 10일 일정으로 옐로스톤 국립공원, 라스베이거스, 할리우드, 디즈니랜드, 솔트레이크 시티, 그랜드캐년 등을 다녀오며 다시 한 번 시야를 넓혔다.

그 후 나는 오랜 지인을 찾아갔다. 가오슝에서 살다가 아들이 미국에 정착하면서 함께 이민 간 후 집 관리를 나에게 부탁한 부부였다. 그는 나보다 나이가 많았는데, 당시 이미 아흔이 넘은 나이라 두 사람이 살아생전에 다시 만날 기회가 없을 것 같았다.

"살아가며 서로 만나지 못함이 하늘 반대편 삼별과 상별 같거니, 오늘 저녁 이 얼마나 즐거운 저녁인가? 그대와 둘이 촛불을 밝혔네."

두보(杜甫)의 시 한 구절이 나의 마음속에서 울려 퍼졌다.

나는 학교에서 근무할 때 많은 학생을 도와 학생들 사이에서 인기가 많았다. 졸업 후에도 학생들은 계속 연락해 왔고, 해외로 진출하는 학생들이 늘어나면서 나의 인맥도 세계로 뻗어 갔다. 로스앤젤레스에 놀러 갔을 때 공항에서 생각지도 못하게 옛 제자 판저난(潘浙南)과 마주쳤는데, 그는 계속 자신의 집에서 묵고 가라고 권유하고, 다른 친구들에게도 내가 왔음을 알렸다. 다음 날 바로 나를 환영하는 자리가 마련되었는데, 그중 한 제자는 차로 두 시간을 달려와 나를 감동시켰다. 퇴직한 지 20여 년이 지났지만, 나는 제자들의 이름을 모두 기억하고 있었다. 과거의 청춘들이 불혹에 이르러 각자 성취를 이룬 것을 보니 마음에 큰 위안이 되었다.

5장

인생을 즐기는 마음

2011년 7월 9일, 영국 런던의 리전트 공원에서
1년에 한 번씩 열리는 영국 주재 타이완 교포
학계(學界) 운동회가 성황리에 개최되었다.
"힘내라!"라는 함성이 울려 퍼졌다.

한쪽에서는 가든파티가 열렸는데, 멀리
타이완에서 온 나도 그곳에 있었다.
내가 정신을 집중하여 붓을 움직이자 뱀이
꿈틀거리는 듯하다가 어느새 움직임이
잦아들었다. 한 획 한 획 그을 때마다 각기 다른
새의 형상이 나타났다.
나를 둘러싸고 구경하던 젊은이들은
연방 감탄사를 터뜨렸다.
"와 신기해! 진짜 대단하다!"

내가 이역만리 타국까지 날아간 것은 조충체로
쓴《삼국지》의 머리말이 대영도서관에 소장되어
7월 20일에 거행되는 기증식에 참석하기
위해서였다.

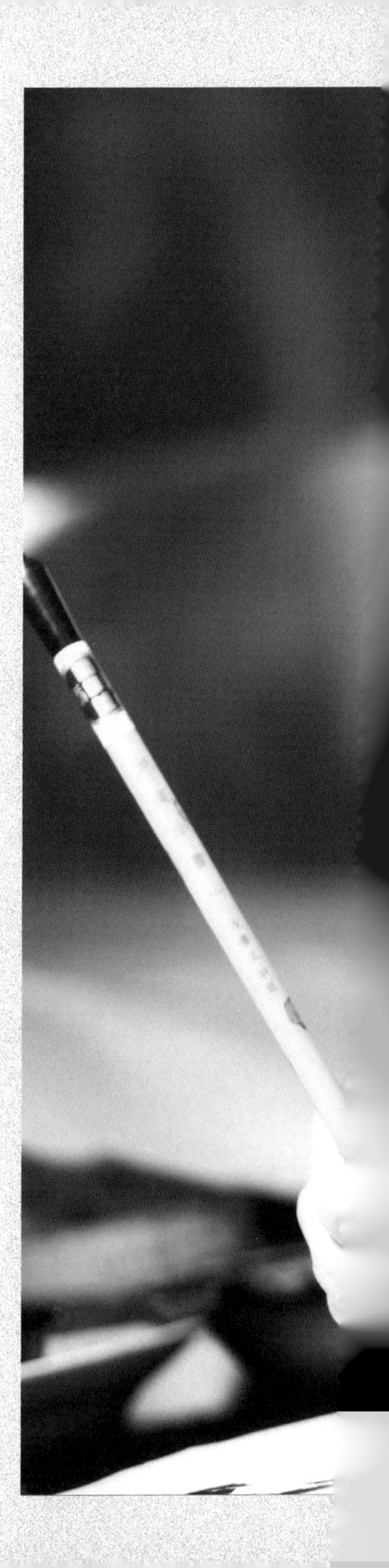

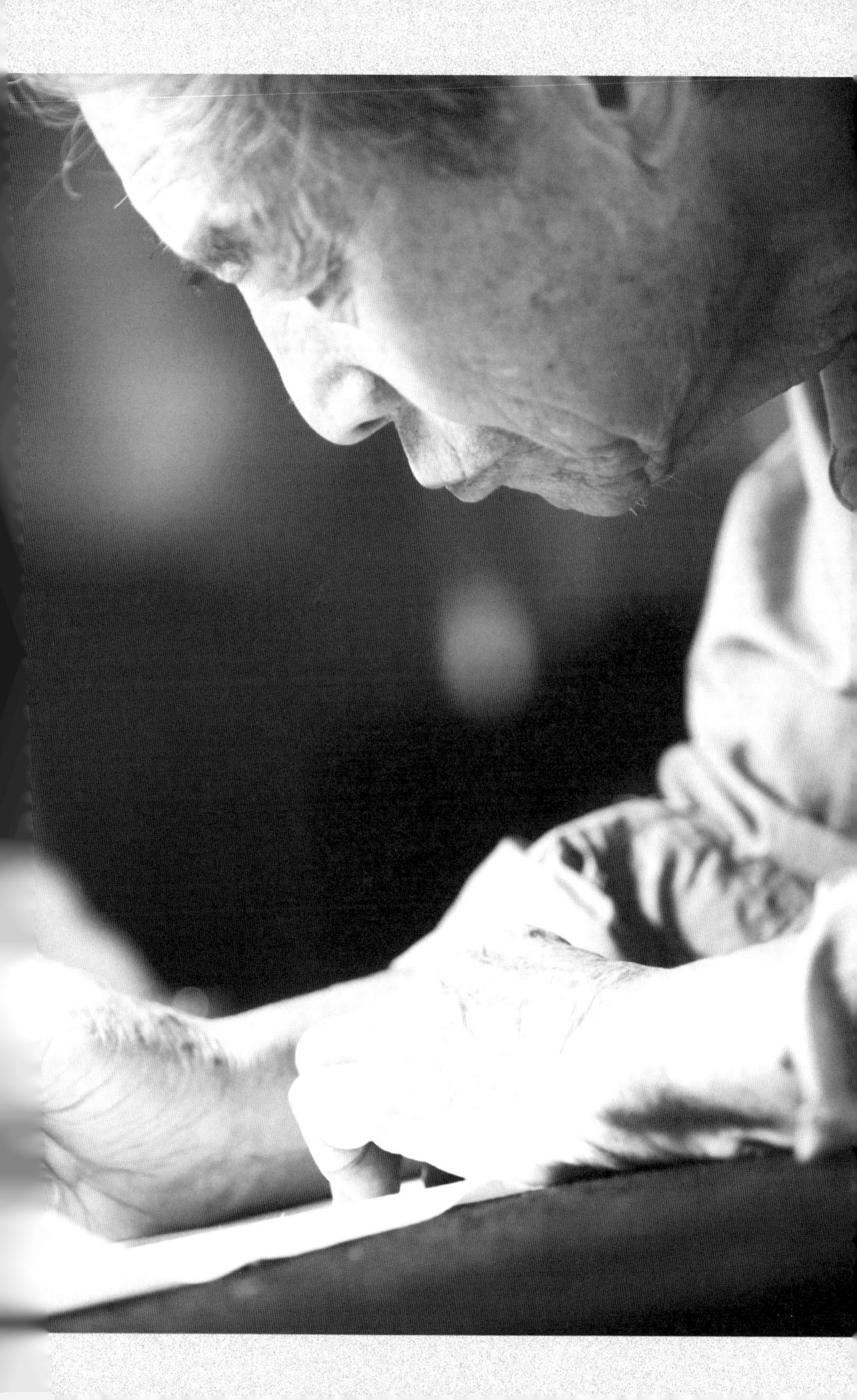

다 쓰지 못한 조충체

조충체는 배우기는 쉽지만 막상 쓰려면 어려운 서체다.
글씨는 구조적으로 해서체와 같지만,
필법이 물 흐르듯 자연스러워 마치 그림과 같아야 한다.

나는 새로운 것을 배우는 데 관심이 많고, 무엇이든 쉽게 익혔는데, 조충체도 마찬가지였다. 처음에는 재미있고 서체가 아름다워 배우기 시작했지만, 나중에는 소일거리가 됐을 뿐 아니라 특기가 되고, 더 나아가 국제적으로 이름을 드높이는 계기가 되었다.

나는 일곱 살 무렵 서예를 배우기 시작했는데, 처음 배운 것은 해서체(楷書體, 바르게 쓴 정자체_옮긴이)였다. 안진경(顔眞卿, 당대의 관리로 달필가로 유명하다_옮긴이)의 서체는 너무 뚱뚱하고, 유공권(柳公權, 당대 후기의 화가_옮긴이)의 글씨는 너무 딱딱해 구양수(歐陽修, 북송 시대의 정치가이자 문인_옮긴이)의 글씨를 배웠다. 열두 살에 아버지의 스승 자오차오이(趙朝儀)가 쓴 조충체를 보았는데, 한 획 한 획이 살아 있는 것 같고, 각기 다른 모양의 새 같아서 관심을 갖게 되었고, 배우고 싶은 마음이 생겨났다.

어깨너머로 배운 조충체

조충체는 진서팔체(秦書八體, 진나라 때 있었던 여덟 가지 서체_옮긴이) 중 하나로, 춘추전국시대에 전쟁터에서 쓰인 군용 깃발의 장식에서 유래되었으며, 점차 무기나 식기에도 널리 활용되었다.

자오차오이는 청대의 공생이었는데, 공생은 12년에 한 번 치러지는 과거에서 합격한 사람이니 학식이 얼마나 뛰어났는지 짐작할 수 있을 것이다. 자오차오이는 평생 남을 가르쳤으며, 서예와 그림에 모두 능했다. 또 온화한 성격에 남에게 친절했다. 하지만 나에게는 나이가 너무 어리니 먼저 공부에 전념하라며 조충체를 가르쳐 주지 않았다.

하지만 나는 쉽게 포기하지 않았다. 틈날 때마다 자오차오이를 찾아가 글씨를 보고, 대신 먹을 갈아 주고, 화선지를 고정해 주면서 몰래 조충체의 필체를 관찰했다. 그리고 집에 돌아와 혼자 연습하면서 천천히 조충체를 완성해 나갔다.

조충체는 배우기는 쉽지만 막상 쓰려면 어려운 서체다. 글씨는 구조적으로 해서체와 같지만, 필법이 물 흐르듯 자연스러워 마치 그림과 같아야 한다. 같은 글씨라고 해도 쓰는 사람의 마음과 정서에 따라 달라지니 서예 하는 사람은 마음에 여유가 있어야 하며, 너무 융통성이 없어서도 안 된다. 나는 본성적으로 천진한 면이 있고, 예술가의 재능이 있었으며, 책과 그림, 경극을 좋아하고, 미에 대한 감수성이 높아 조충체도 금방 익힐 수 있었다.

자오차오이가 생전에 조충체를 잘 쓰는 제자가 하나도 없다며 한탄하자 나는 오랫동안 몰래 익힌 글씨를 선보였다. 자오차오이는 깜짝 놀라며 미소를 짓고는 이렇게 말했다.

"쓸만하구나."

몰래 배운 나의 솜씨가 정식으로 배운 학생들을 뛰어넘은 것이었다.

타이완과 중국 유일의 계승자

조충체는 거의 실전되었지만, 나는 매일 연습을 게을리하지 않았으며, 솜씨도 나날이 늘어 가고 있다. 내가 타이완과 중국 유일의 계승자라고 할 수 있다.

2005년, 내가 조충체로 당시(唐詩) 칠언절구 60수를 쓴 것을 어떤 사람이 아주 비싼 값에 사겠다고 했지만, 나는 팔지 않았다. 나는 훗날 이 60수를 엮어 《자오무허의 조충체(趙慕鶴書鳥蟲體書)》라는 책으로 펴내어 거의 사라진 귀중한 서체를 기록으로 남겼다.

나는 고위 계층이든 소시민이든 거절하는 법 없이 작품을 보내 주고, 절대로 팔지 않았다. 나의 작품은 어느새 널리 퍼져 유명해졌는데, 나 스스로는 그 이유를 알지 못했다.

2011년 4월, 펑페이페이(鳳飛飛)는 〈타이완 가요 콘서트〉의 기자회견에서 내가 화산(華山)기금회에 기증한 '행복하세요'라고 쓴 족자를 기자에게 선보였다. 사전에 나는 이 일을 전혀 알지 못했다. 나중에 나는 담담하게 웃으며 말했다.

"그보다 더 유명한 인물이라고 해도 특별히 찾아가지는 않았을 것이다. 나는 누구나 차별 없이 대할 뿐이다."

〈행복하세요〉는 펑페이페이의 명곡 중 하나로, 가사를 조금 소개하면 다음과 같다.

"인생 여정에는 즐거움도 있고 괴로움도 있지만, 꿋꿋이 이겨 나가는 의지가 필요하죠. (……) 지혜를 발휘하고 땀방울을 흘리며 자신만의 행복을 만들어 가요."

펑페이페이가 이 가사에 자신의 목소리를 더해 호소력 짙은 노래로 만들었다면, 나는 나만의 생명력으로 서예 작품에 생기를 불어넣었다.

대영도서관에 작품을 기증하다

2011년 5월 중순, 제자 중메이샹이 대영도서관의 중화관 관장 그레이엄 허트(Graham Hutt)가 조충체 서예 작품을 소장하기를 원한다며 영국의 기증식에 와달라고 초청했다고 말했다. 25년 전 내가 처음 영국을 여행할 때 서예 작품을 많은 사람에게 선물했는데, 우연한 기회에 이 특별한 서예를 보고 소장하고 싶은 마음이 생겼던 것이다.

하지만 나는 그 초대가 그리 달갑지만은 않았다. 영국행 항공권 값만 해도 4만 타이완달러가 넘는 데다가 작품만 써서 넘기면 되지 굳이 영국에 갈 필요는 없다고 생각했기 때문이다. 나중에 도서관 측에서 경비를 부담한다는 사실을 알고는 더욱더 그런 부담을 지우면서까지 가고 싶지 않다고 생각했다.

중메이샹은 대영도서관은 세계 3대 도서관이자 대영박물관과 동등한 위치에 있는 기관이기 때문에 작품이 소장되려면 반드시 정상적인 절차를 밟아야 한다고 나를 설득했다. 또한 소식을 들은 타이완의 제자들도 쉽게 찾아오는 기회가 아니니 가보는 것이 좋겠다고 말했다. 나의 집을 자주 찾는 가오젠룽(高建榕)도 영국에 동행할 뜻을 내비쳤고, 영국에 있는 한 화교는 내 여행 경비를 모두 책임지겠다고 나섰다. 여러 사람의 도움에 힘입어 나는 드디어 7월 6일, 두 번째로 영국 땅을 밟았다.

기증식에는 영국 주재 타이완 대사관의 참사관인 장샤오위에(張小月)를 포함한 열 명 남짓의 화교 친구들이 참석해 주었고, 기증식은 순탄하게 끝이 났다. 대영도서관에 소장된 중국의 서예 작품은 송 · 명 · 청 · 당대 등 두루 있었지만, 타이완 작품은 처음이었다. 현대 중국과 타이완을 통틀어 내가 처음이었다.

7월 9일, 때마침 1년에 한 번씩 열리는 영국 주재 타이완 교포 학계 운동회가 개최되었다. 장내에는 각종 매대가 설치되었는데, 중메이샹 부부도 나를 위해 매대를 준비했다. 원래는 한 글자당 2파운드를 받고 팔기로 했지만, 나는 돈을 받지 않기로 했다. 하루에 총 50여 자의 글씨를 썼는데, 쓰는 사람도 즐겁고 받는 사람도 기쁜 행사였다.

7월 18일은 나의 생일이었는데, 중메이샹 부부는 20여 명의 화교를 초대해 나의 100세 생일을 축하했다. 그들의 성의에 나는 아주 감동했다. 타이완에 돌아갈 때는 한 화교가 한 시간가량을 운전해서 공항까지 데려다 주었다. 나는 100살까지 살고, 이렇게 많은 사람의 사랑을 받을 수 있게 된 것에 보람을 느꼈다.

나의 작품을 받고 싶어 하는 사람은 나날이 늘어 갔다. 나는 노트 한 권을 마련해 꼼꼼하게 명단을 작성했는데, 가게의 간판을 써달라는 요구도 있었다. '수주 상황'은 아주 만족스러웠다. 내가 쓴 조충체가 큰 환영을 받자 나는 무척 기뻤지만, 조금은 쑥스러운 마음에 허허 웃으며 이렇게 말했다.

"다 공짜라서 그런 것 아닌가!"

나는 요청을 받으면 반드시 응했는데, 그렇다고 대충 써서 주는 일은 없었다. 늘 정성을 들였으며, 서예는 글을 쓸 때의 정서에 따라 결과물이 달라지므로 기분이 좋지 않을 때는 붓을 들지 않았다. 〈유자음(遊子吟)〉이라는 시는 20자가 채 안 되지만 두 시간이나 걸려 완성했고, 나중에는 두 손에 통증마저 느껴졌다. 오랫동안 조충체를 쓰다 보니 시원한 바람이 솔솔 불어오는 밤에 붓 가는 대로 예닐곱 자 정도 쓰는 것이 가장 좋다는 생각이 든다.

내가 있기에 조충체는 계속 전수될 수 있을 것이다. 나는 2012년 홍콩·타이완 공상협의회 초청으로 홍콩에서 열린 서예전에 참가했으며, 용의 해인 2012년부터 12년간 가오슝 지하철의 승차권에서 내가 쓴 12간지를 볼 수 있을 것이다.

무대에 오르다

어떤 이는 나에게 동작을 가르치고, 어떤 이는 반주에 맞춰 노래 부르는 법을 가르쳤다.
나는 악기 연주에 맞춰 노래와 동작을 함께 한다는 것에 어려움을 느꼈고,
처음에는 자주 틀렸다. 하지만 배움의 자세로 결국 하나하나 극복해 나갔다.

2003년 1월의 어느 날, 나는 집 근처의 창칭(長青) 종합 서비스센터로 발걸음을 옮기다 익숙한 징과 북 소리를 들었다. 분명 사람이 직접 노래하는 소리였다. 평생을 경극 마니아로 산 내가 그냥 지나칠 리가 없었다. 알고 보니 '예극(豫劇, 허난 성의 지방 전통극_옮긴이)의 황후'로 불리는 왕하이링(王海玲)의 궈광(國光) 극단 예극대에서 노인들을 위한 '실버 세대 평생 학습 — 두근두근 예극 체험' 프로그램을 진행하고 있는 것이었다. 노인들에게 예극을 가르쳐 주는 프로그램으로, 처음에 30명이 등록했지만 출석 인원은 60명에 달했다. 뒤늦게 등록하거나 청강을 원하는 사람들이 대부분이었다. 학생이 모두 노인인 것을 보고 나도 예극을 배우고 싶다는 마음이 생겨났다.

왕하이링은 내 나이를 듣고는 너무 고령이라 무대에서 쓰러지는 것은 아닌지 걱정했다. 나는 한 발 물러나 배운 뒤에 집에서 즐기면서 부를 수만 있다면 무대에 오르지 않아도 상관없다고 말했다. 그는 나의 열정에 감동해 허락했고, 나는 이렇게 최고령 학생이 되었다.

실버 세대의 배움에 대한 열정은 젊은이 못지않았다. 시업식이 있던 날 왕하이링은 직접 현장에 나와 학생들과 이야기하고 노래했다. 또한 예극 작품 〈진소유와 소소매(秦小遊與蘇小妹)〉의 하이라이트 몇 장면을 선보여 전통극 마니아들을 들뜨게 했다. 너 나 할 것 없이 사진을 찍기 위해 배우에게 몰려들었다.

수업은 예극 감상, 예극 배우의 시범 공연, 전통극 작품 안내 등 다양한 프로그램으로 진행되었으며, 학기 말에는 〈진소유와 소소매〉, 〈큰 발 황후(大脚皇后)〉, 〈대화교(抬花轎)〉, 〈중국 공주 두란타(中國公主杜蘭朵)〉 같은 작품을 무대에 올렸다.

〈큰 발 황후〉에는 대 태감, 마 황후, 명 태조 주원장의 세 배역이 등장한다. 황제와 황후는 노래 대사가 없었고, 대 태감의 경우, 마 황후를 설득하는 아주 긴 대목이 있었다. 대사가 많아 학생들이 배역 맡기를 꺼리자, 나는 대 태감 역을 자원했다.

왕하이링은 내가 이 역할을 맡을 수 있을지 걱정했지만, 가르쳐 보니 노래 대사를 한 글자도 틀리지 않고 암기해 안심했다. 왕하이링은 지도에 박차를 가했다. 어떤 이는 나에게 동작을 가르치고, 어떤 이는 반주에 맞춰 노래 부르는 법을 가르쳤다. 나는 악기 연주에 맞춰 노래와 동작을 함께 한다는 것에 어려움을 느꼈고, 처음에는 자주 틀렸다. 하지만 배움의 자세로 결국 하나하나 극복해 나갔다.

정식으로 가오슝 시 문화센터에서 무대에 올랐을 때 나는 실수 하나 없는 완벽한 연기를 선보였다. 무대에 서기까지 연습한 기간은 고작 8주에 불과했다.

나는 당시 예극을 가르쳐 준 선생님들과 지금까지도 자주 연락하고 있다. 어려서부터 경극을 비롯한 전통극을 좋아했고, 나이가 들어서도 공연이 있으면 종류를 가리지 않고 모두 관람했던 내가 마지막에는 마침내 직접 배우가 되어 무대에 오르다니, 참 재미있는 일이 아닐 수 없다. 나는 지금도 전통극만 보면 정신이 바짝 든다.

93세에 자원봉사를 하다

많은 사람이 퇴직한 후 시간도 때우고 스스로 보람도 느끼기 위해 자원봉사를 한다. 나처럼 자발적으로 병원에서 자원봉사하는 사람도 그중 한 명일 것이다.

2004년, 나는 가오슝 퇴역 군인 총병원에 친구 병문안을 갔다가 옆 침대에 누워 있는 왕창윈(王昌運)을 알게 되었다. 그는 대장암을 앓고 있었지만 간병인을 고용할 돈이 없어서 수술을 받지 못하고 있는 상태였다. 나는 시간이 많으니 내가 간호해 주겠다며 마음 놓고 수술을 받으라고 했다.

왕창윈은 농담이라고 생각했지만, 나는 정말로 보조 침대에서 잠을 자며 밤낮으로 그의 곁을 지켜 주었다. 소변기나 기저귀로 대소변도 직접 처리해 주었고, 힘들다는 불평 한마디 하지 않았다. 왕창윈은 미안해하며 서로 모르는 사이인데 이렇게 도움을 받아도 되는 건지 모르겠다고 했다. 나는 담담하게 말했다.

"알든 모르든 그건 상관없어요. 나는 시간이 있고, 당신은 도움이 필요한 것뿐이에요."

나는 왕창원을 한 달간 돌보았고, 그사이 그는 수술을 받고 퇴원하게 되었다. 그는 동생이 있는 중국으로 돌아가기를 원했고, 나는 그의 재산을 중국 돈으로 바꿔 준 뒤 항공권을 구입하고 수속을 밟아 주었다. 그리고 침대에 누운 왕창원을 중국으로 보내 주었다.

나중에 내가 중국의 친척을 방문했을 때 왕창원의 동생이 나를 찾아와 형이 수술한 후 7년을 더 살았다고 알려 주었다. 그러고는 그때 형을 돌봐 줘서 감사하다며 인사를 전했다.

나를 아는 주위 사람들은 내가 오지랖이 너무 넓다고 말하지만, 나는 하지 않을 수 없는 일이라고 생각했다. 나는 도움이 필요한 사람을 돕는 것은 지극히 자연스러운 일이며, 오히려 돕지 않는 것이 부자연스러운 일이라고 생각했다.

왕창원이 떠나고 나는 병원에 남아 자원봉사자로 활동했다. 나는 병원 사무실에 연락처를 남기고, 의지할 데 없는 환자를 위해 무료로 봉사하겠다는 뜻을 밝혔다. 그 후 나는 병원에서 약 2년 동안 자원봉사자로 활동했는데, 나보다 젊은 환자를 돌볼 때가 많았다. 나는 자전거로 병원을 오갔는데, 나중에 병원 측에서 이를 알고는 위험하다며 더 이상 오지 못하게 했다. 포기하고 싶지 않았던 나는 버스를 타고 가려고 했지만, 병원 측에서는 나의 나이를 감안해 역시 만류했고, 나는 하는 수 없이 자원봉사를 그만두었다.

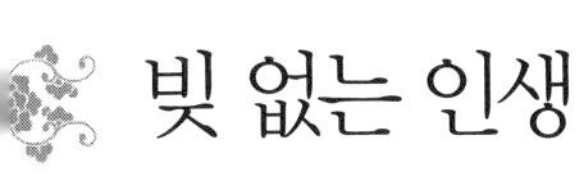

빚 없는 인생

내가 도움을 요청하면 돈을 빌려 줄 사람이 널려 있지만,
나는 국가에 빚을 질지언정 개인에게는 절대로 빚지지 않았다.

내가 오래전 집을 떠날 때 어머니는 이렇게 당부했다.

"가난하면 가난한 대로 깨끗해야 한다. 구걸하는 한이 있더라도 말이다. 밥을 구걸하면 도와준 사람은 덕이라도 쌓을 수 있지만, 빚지는 것은 절대 해서는 안 된다."

그래서 나는 평생 돈을 빚지지도 않고, 인정을 빚지지도 않았다. 빚지지 않고 평생 가볍고 즐겁게, 마음 편안하게 살아왔다.

욕심 부리지 않기

나는 어린 시절에는 풍족하게 살았지만, 피난을 다니는 동안에는 수중에 돈이 없어 거처와 먹을거리를 남에게 신세 졌다. 타이완에 오기 전에 뜻밖에 돈이 생겼지만 타이완에 오고 나서 친구가 사업을 한다며 빌려간 후에 종적을 감췄다. 돈에 크게 연연하지 않았기에 나는 어려운 일을 겪고 있는 사람을 보면 선뜻 빌려 주곤 했는데, 대부분 돌려받지 못했다. 나는 나의 불운을 탓할 뿐, 돈을 찾으려고 애쓰지 않았다.

훗날 나는 줄곧 공직에 몸담으면서 아버지의 말을 명심했다.

"공직에 있으면서 부를 쌓는 것은 수치이며, 사업을 하면서 돈을 못 버는 것은 무능이다."

누군가 공직에 몸담으면서 부를 쌓는다면 사람들은 그가 부정부패로 돈을 벌었을 가능성이 크다고 생각했다. 그래서 나는 줄곧 부를 추구하지 않았고, 쓸 만큼만 있으면 충분하다고 여겼다.

1977년 내가 정년퇴직했을 당시에는 퇴직자에게 18퍼센트 우대 금리를 적용해 주는 제도가 없었다. 또한 나는 퇴직금을 일시금으로 받아다 써버리면 돈 버는 재주가 없는 나는 굶을 수밖에 없다는 것을 잘 알았다. 게다가 화폐를 개혁하고 5년 후에는 돈 가치가 떨어질 것이라는 사람들의 말에 나는 결국 퇴직금을 다달이 나눠 받는 쪽을 택했다.

나는 내가 돈 관리를 잘하지 못하는 것을 알았기 때문에 수중에 너무 많은 돈을 남기지 않았고, 신용카드도 쓰지 않았다. 돈은 한 번에 조금씩만 인출했는데, 이렇게 하면 돈을 많이 쓰려고 해도 쓸 수 없었다. 이것이 바로 나의 자금 관리 노하우였다.

돈을 불리겠다는 생각에 퇴직금을 일시금으로 수령해서 사업에 투자했다가 결국에는 전부 날리고 마는 동료들이 허다했다. 나는 자신을 제대로 파악하지 못하면 고생에서 벗어나지 못할 것이라는 사실을 잘 알았기에 그들이 너무 안타까웠다. 나는 부자가 될 생각이 없었고, 나 자신의 한계도 잘 알았다. 교직에 있던 사람이 사업이라니……. 나는 욕심이 없었다. 그저 안정을 원할 뿐.

빚지지 않기

손자가 대학에 입학하자 나는 처음으로 밥 먹을 돈도 부족하다는 것을 깨달았다. 그래서 학자금 대출을 신청했다. 다달이 내야 하는 이자는 없었지만, 손자가 졸업할 때 갚아야 할 금액이 90여만 타이완달러에 이르렀다. 당시 나의 1년 수입은 16만 타이완달러에 불과했다. 나는 어떻게 갚을 수 있을까 생각하면 앞날이 깜깜하기만 했다.

내가 도움을 요청하면 돈을 빌려 줄 사람이 널려 있지만, 나는 국가에 빚을 질지언정 개인에게는 절대로 빚지지 않았다. 훗날 가오슝 사범대학 졸업생 한 명이 보다 못해 나섰다. 그는 직접 돈을 주면 내가 받지 않으리라는 것을 잘 알고 있었다. 그래서 그는 다른 방법을 찾았다. 당시 1달러는 26타이완달러의 가치가 있었는데, 은행에서 일하는 사람으로부터 달러는 반드시 오른다는 이야기를 듣고 나에게 150만 타이완달러를 빌려 주고 달러를 사게 한 후 이자 수익도 갖게 했다. 나는 그의 제안을 받아들였다.

내가 달러를 산 이후 달러는 계속 오르기만 했다. 이 방법이 통하자 그제야 나는 고향 친구나 동료에게 몇백만 타이완달러를 빌렸다. 이자는 상대방이 갖게 하고, 안심시키기 위해 달러가 든 통장을 직접 보관하게 했다. 몇 년간 달러는 26타이완달러에서 33타이완달러로 올랐다. 나는 달러를 전부 팔았고, 다시 빚이 없는 가벼운 몸으로 돌아갔다.

나는 빚도 다 갚고, 빚진 정도 다 갚았다. 빚을 청산하고도 8만 타이완달러가 남았는데, 나는 나를 도와준 친구들을 모두 초대한 후 그들이 좋아하는 요리를 시키고, 식사가 끝난 후 한 사람에 하나씩 금반지를 나눠 주었다.

그중 한 고향 친구는 아내 몰래 나에게 돈을 빌려 주었다가 아내에게 들키는 바람에 싸움이 나게 되었는데, 나는 다른 사람에게 이 이야기를 듣고 바로 돈을 갚았다. 하지만 빚을 다 갚은 후 한턱내고 금반지를 선물할 때 이 친구의 몫도 빠트리지 않았다. 친구도 도와줄 마음은 있었으니 중간 과정이 어쨌든 너무 따지고 들 필요가 없으며, 돈은 언제든 벌 수 있으니 모두 즐거우면 그만이라고 생각했다.

돈 아끼지 않기

나는 한 달 생활비로 만 타이완달러면 충분하다. 술 · 담배를 하지 않고, 노름도 하지 않는 데다 라이프스타일도 단순해 식비로 쓰고 남은 돈은 즐기는 데 쓴다. 친구가 많아 모임이 많다 보니 자연히 경조사로 나갈 돈도 많다. 나는 딸린 식구가 없지만 한 가족 분으로 계산해 자리에 참석할 때는 2,000타이완달러를 내고, 참석하지 않아도 1,000타이완달러를 내며 절대 인색하게 굴지 않았다. 나는 나 혼자라도 가족으로 참석하는 것이나 마찬가지며, 1,000타이완달러 더 낸다고 해서 살림이 거덜 나지는 않는다고 생각했다.

나는 돈을 아끼고 싶지 않았다. 이 나이가 되면 돈이나 생활보다는 건강이 가장 중요하며, 돈은 필요할 때 과감하게 써야 한다고 생각했다. 오랜 동료들은 내가 돈도 얼마 못 벌면서 아끼지 않고 쓰고, 손님들을 자주 초대하는 것을 이해하지 못했다. 그들은 나이도 먹었으니 돈을 좀 저축해야 하지 않겠느냐고 말했다. 나는 웃으면서 "이미 늙어 버렸는데 저축은 무슨"이라고 대꾸했다. 사람들은 인생은 70부터라고 했지만, 나는 70이면 꽤 늙은 편이라고 생각했다. 나는 늙고 나면 돈은 중요하지 않으며, 중요한 것은 심리적인 만족이라고 생각했다.

나는 주위 사람들의 안타까운 사례를 보고 이런 생각을 품게 되었다. 고향 친구 하나는 아주 부유했고, 매월 6만 타이완달러가 넘는 퇴직금을 받았는데도 먹는 것도 아까워하고, 돈도 잘 못 썼다. 술을 좋아했지만, 평소에 집에서는 사놓고도 아까워서 마시지 않다가 술자리에 참석하면 코가 비뚤어질 때까지 마셨다. 또 다리가 불편했지만, 사람을 쓰는 비용을 아끼려고 스스로 밥하고 청소하며 지냈다. 가장 슬픈 것은 필사적으로 돈을 모았지만 그 돈을 필요로 하는 사람이 없었다는 점이었다. 자녀들은 탄탄한 직장을 가지고 있었고, 그의 인색한 성격 때문에 자식과 부인조차 함께 살고 싶어 하지 않았다.

나는 스스로에게 가혹하지 않았으며, 불만족스러울 때는 거의 없었다. 어디를 가든 자연스러웠고, 잘 적응하며 만족할 줄 알았다.

최근 몇 년간 강연을 하거나 서예를 선보일 기회가 여러 번 있었는데, 주최 측에서 강사비와 교통비를 제공했지만 모두 사양했다. 도장을 찍고 청구서를 신청하는 게 영 번거로웠기 때문이다. 나는 그 몇천 타이완달이 없이도 잘 지내며, 돈은 먹고살 수 있을 정도만 있으면 되지, 많아 봤자 소용없다고 생각했다.

나는 투자도 안 하고, 보험도 가입하지 않았다. 손자를 위해 작은 집 하나만 마련했을 뿐이다. 나는 돈을 너무 많이 물려주어도 손자에게 이로울 것이 없다는 생각을 가지고 있었다.

도움 바라지 않기

나는 퇴직하기 전에 간에 물이 차 수술을 하고 20여 일 동안 입원한 적이 있었는데, 인사처에 병가만 내고 친구에게는 말도 하지 않았다. 다른 사람이 문병 오는 것을 원치 않았기 때문이다. 나는 손자에게도 알릴 필요가 없다고 생각했다.

"알려도 소용없지 않은가?"

나는 바쁘게 돌아가는 현대 사회에서 젊은이가 어르신을 돌보는 것은 당연한 도리가 아닌 능력의 문제라고 생각했다.

"일 때문에 간호도 제대로 못 해주고, 그렇다고 계속 휴가를 낼 수도 없는 자식들은 얼마나 마음이 괴롭겠는가? 병원에 있으면 의사와 간호사가 잘 돌봐 주지 않는가?"

그래서 나는 병이 나도 다른 사람의 간호를 받지 않았다.

"간호받아도 아픈 건 마찬가지다. 아무리 많은 사람이 곁에서 돌봐 준다고 해도 죽을 때가 되면 죽게 되어 있다."

나는 인정보다 실리를 추구했다. 중국인들은 인정을 중시하지만, 그러면서도 때로는 몰인정할 때가 있다. 그런 부류들은 인정으로 거래를 꾀하기 때문이다.

나는 혼자 살기 때문에 스스로 요리를 하고, 크고 작은 일을 직접 처리한다. 손님이 오면 몇 가지 요리를 만들어 내놓기도 한다. 손님의 나이를 전부 합쳐도 내 나이를 넘지 않지만 말이다. 한마디로 나는 생, 병, 사로 인해 남에게 폐를 끼치고 싶지 않았다. 나는 출세하거나 부자가 되는 것은 생각지도 않았다. 그저 남에게 돈과 인정을 빚지지 않고, 남의 도움도 바라지 않으며, 남에게 굽실거리지 않고 하늘에 부끄럽지 않게 살아가고자 했다.

분수에 맞지 않는 일 하지 않기

중국에서 타이완으로 건너온 후 나는 줄곧 독신으로 지냈다. 사실 용모가 단정하고 성실해서 여자들에게 꽤 인기가 있었다. 하지만 집을 떠날 때 어머니가 부인도 있고 자식도 두었으니 다시는 결혼하지 말라고, 그러지 않으면 아주 번거로운 문제가 생길 수 있다고 한 당부를 잊지 않았다. 이 말이 나의 머릿속에 깊이 박혀 몇 차례의 기회를 놓치고 말았다.

1949년, 나는 취안저우의 수이터우 진으로 피난을 갔고, 그곳의 한 중학교에서 머무르며 잡일을 했다. 하루는 길에서 우연히 망명학교의 선생님과 마주쳤는데, 그가 나에게 친구의 딸을 소개했다. 나이는 스물대여섯 정도였는데, 선생님은 얼굴도 예쁘고 교육도 잘 받은 아가씨라고 추어올리고는 그 아가씨와 결혼해 정착할 것을 권유했다. 나는 이미 결혼도 했고 아이도 있다며 완곡히 거절했다. 나는 마음속으로 정말로 혹하지는 않았는지 자문해 보았다. 하지만 이미 결혼했으니 다른 여자를 넘보지 말라는 어머니의 가르침을 평생 지키며 살아갈 생각이었다.

1964년에는 서른 살가량 된 차장 아가씨가 가오슝에 친구를 만나러 왔다가 나를 알게 되었는데, 나의 집에 세 들어 살 수 있는지 물었다. 나는 서둘러 거절하고는 다른 거처를 마련해 주었다. 나중에 차장 아가씨는 내가 자신의 마음을 몰라준다며 친구에게 불만을 토로했고, 나는 그 친구가 나에게 그 말을 전했을 때야 사실을 알게 되었다.

내가 일흔을 넘겼을 때 마흔이 안 된 여성이 시집오려고 했던 적도 있었다. 나는 스스로가 늙은이가 다 되었다고 생각했고, 서른 몇 살이나 어린 여성이 나에게 시집오려고 한다는 사실을 아주 불가사의하게 여겼다. 나는 당연히 거절했고, 그녀에게 나이 차가 얼마 나지 않는 남자를 소개했다. 그 둘은 곧 결혼했다.

심지어는 97세였을 때도 퇴직한 교수가 나와 결혼하고 싶어 했다. 그녀는 살아가면서 의지할 곳이 필요하다며 동반자가 필요하지 않느냐고 물었다. 나는 삶이 무료하면 자원봉사를 하거나 남의 집 아이를 돌보면 된다고 말했다.

"왜 결혼하려는 겁니까? 재혼하면 사람들에게 웃음거리만 될 거예요. 재혼에 성공하면 그나마 다행이지만, 실패하면 심각한 일 아닙니까?"

나는 그녀가 퇴직 교수로 연금을 받는다는 사실을 알고 접근하는 사람이 많을 테니 조심하라고 이르고는, 결혼했다가 잘 안 맞으면 이혼도 어렵다며 충고했다.

"늙어서 사서 고생하지 말아요."

나는 어머니의 말을 새겨듣고 고정관념에 사로잡히지 않았으며, 스스로의 능력을 잘 알았다. 나는 내 몸 하나 건사할 수 있으면 그만이며, 유세 떨 필요도 없다는 것을, 인생을 살아가려면 생각이 분명해야 한다는 것을 피난을 다니면서 절실히 깨달았다.

장수의 길

사람은 제각기 천명을 타고나는 법이라 얼마만큼 살고 싶다고 해서 살 수 있는 게 아니다.
백 년도 못 사는 인생, 구태여 근심하며 천 년을 바라서 무엇하겠는가?

나는 퇴직한 후 기숙사에서 35년을 살았다. 나와 함께 퇴직한 선생님들은 전부 세상을 떠났다. 나는 언제까지 살 수 있을지 걱정해 본 적이 한 번도 없다. 그저 하루하루를 열심히 살았을 뿐이다. 그러다 보니 사는 게 즐겁고 오래 살게 된 것이다.

나이를 먹을수록 많은 사람이 나의 장수 비결에 관심을 가졌다. 나는 이제 100세를 넘겼지만, 외모는 여든이 채 넘어 보이지 않는다. 등이 조금 굽고, 귀가 살짝 어두우며, 예전에 다친 무릎이 이따금씩 아픈 것만 빼면 다른 곳은 대체적으로 문제가 없다. 심장병이나 고혈압, 당뇨병 같은 지병도 전혀 없다.

나만의 장수 비결

장수 비결이 있다고 해도 뭇사람들의 생각과는 달리 전부 상식을 뒤엎는 것들이다. 사람들은 아침 식사가 중요하다고 말한다. 하지만 나는 어려서부터 아침을 먹지 않았다. 대신 공복에 진한 차를 마셨다. 사람들은 그렇게 하면 위가 상한다고 걱정하지만, 나는 한 번도 위통을 느낀 적이 없다. 정오에 점심을 먹고, 밤 9시경에 저녁을 먹는다. 야식은 하지 않고, 하루에 두 끼만 먹는다.

아직도 나에게 아침을 안 먹으면 안 된다고 충고하는 사람들이 있다. 나는 그들에게 웃으며 이렇게 대답한다.

"안 되는 게 어디 있나? 자네가 나보다 오래 산다면 내가 틀린 거겠지만……."

사람들은 규칙적인 생활을 하고, 일찍 자고 일찍 일어나는 것이 건강에 좋다고 말한다. 하지만 나는 보통 새벽 1시나 2시경에 잠들고, 오전 10시에서 11시 사이에 일어난다. 나에게는 이런 생활이 매우 '규칙'적이고 '정상'적이지만, 다른 사람의 기준에서 보면 매일 밤을 새우는 것과 마찬가지다. 그러나 나의 건강에는 아무런 문제가 없다. 낮에는 손님도 많고 잡다한 일도 많아 대개 밤 9시쯤 되어야 글을 쓰고 책을 읽기 시작해 한밤중에야 잠자리에 든다.

또 사람들은 채소와 과일을 많이 먹어야 몸에 좋다고 말한다. 하지만 나는 과일을 좋아하지 않는다. 특히 사과를 싫어한다. 고향인 산둥 성 등지는 사과 산지지만 어려서부터 싫어했으며, 아무리 좋은 사과도 먹지 않았다. 예전에 누군가 한 알에 200타이완달러가 넘는 일본 사과를 선물한 적이 있는데, 여기서 썩히느니 집에 가져가서 먹으라며 돌려보냈을 정도다. 과일이라고는 타이완에 건너온 후 가끔씩 바나나를 먹는 것이 고작이다.

늘 만족하고 즐거워하라

장수의 비결을 굳이 꼽는다면 되도록 화내지 않고, 늘 만족하며, 고민하지 않는 것이 아닐까 싶다. 나는 고민이 늘 없는 것은 아니지만, 되도록 훌훌 털어 버린다. 고민이 있으면 병이 나기 쉽기 때문이다.

이런 활달하고 긍정적인 성격은 어머니로부터 물려받은 것이었다. 내가 고향 집을 떠날 때 어머니는 얼굴에 수심을 드러내거나 눈물을 흘리지 않았다. 그저 밖에서 나쁜 짓 하지 말고, 관직에 오르지 말고, 부자가 되지도 말라고, 몸을 움직일 수만 있다면 밥 굶을 일은 없으니 양심에 위배되는 일은 절대 하지 말라고 강조했을 뿐이다. 또한 인생에는 괴로움도 있고 즐거움도 있으니 순리에 따르라는 당부도 잊지 않았다. 어머니는 즐거울 때 어려운 사람을 잊지 말고, 괴로울 때는 조금 참으며 낙심하지 말고 분발하라고 일렀다. 이 모두 적극적인 인생관이 반영된 가르침이었다.

나도 때로는 감기에 걸리지만, 약을 복용하는 것을 곧잘 잊어버리곤 한다. 나는 아무리 살기를 원하고 죽음을 두려워해도 그건 내 마음대로 할 수 있는 일이 아니라고 생각한다. 병원에서 치료할 것은 치료하되, 치료하지 못하면 죽는 수밖에 없다. 사람은 제각기 천명을 타고나는 법이라 얼마만큼 살고 싶다고 해서 살 수 있는 게 아니다. 백 년도 못 사는 인생, 구태여 근심하며 천 년을 바라서 무엇하겠는가?

나는 유서를 작성해 두고 3대에 걸쳐 인연을 맺고 있는 절친한 벗에게 부탁했다. 죽음을 다른 사람에게 알릴 필요도 없고, 국가에서 비용이 나오니 장례비로 골치 썩을 필요도 없다고 일러두었다. 특별히 손자를 부탁했으며, 만일 내가 교통사고를 당하게 되면 절대로 보상을 요구하지 말라고 했다. 나는 죽을 때가 되었고, 상대방도 고의로 사고를 내지는 않았을 테니 난처하게 만들 필요가 없다고 생각했기 때문이다.

나에게 죽음은 곧 귀향으로, 아버지, 어머니와 만날 수 있는 길이었다. 이렇게 생각하면 나 자신을 조금 속이는 기분이 들기도 하지만, 그래도 마음이 한결 편해졌다.

"사람이 죽으면 숨결은 봄바람이 되고, 살은 진흙이 된다. 지금은 화장하니 살은 재가 된다."

100년을 산 나는 이렇게 삶과 죽음을 초월하게 되었다.

2011년에 나는 〈대학생이세요〉라는 TV 프로그램의 게스트로 출연해 무대 아래의 대학생 스무 명과 대화를 나누었다. 젊은이들은 내가 성장한 시대에 호기심을 보였는데, 어떤 이는 아편에 대해 궁금해했고, 어떤 이는 '청나라의 열 가지 혹형'에 대해 알고 싶어 했다. 하지만 그 무엇보다 궁금해했던 것은 90세에 가까운 나이에 대학에 진학하면서 어떤 어려움을 겪었으며, 그 어려움을 어떻게 해결했는지였다. 내가 난화 대학에서 석사 과정을 밟을 때 학생들과 함께 이 프로그램을 즐겨 보았다고 말하자 사회자와 학생들은 크게 놀라며 기뻐했다.

나는 학생들과 함께한 이 시간이 무척 즐거워 "아주 재미있어요!"라고 말하며 아이 같은 미소를 보였다. 나는 이처럼 기뻐하는 아이와 같은 마음으로 격동의 역사 속에서도 유유자적하게 100년의 세월을 보낼 수 있었다.

집필을 마치고

나이 먹을수록 더 생생하고 멋지게

자오 할아버지는 귀엽고도 존경스러운 어르신이다. 자오 할아버지를 만나기 전에 나는 사실 조금 불안했다. 자오 할아버지는 산둥 사람인데, 타이완 토박이인 나의 말을 못 알아들으면 어쩌지? 나이 차이도 60살 이상에 생활환경도 전혀 다른데, 질문을 잘못해서 어르신 화를 돋우는 것은 아닐까? 다행히도 자오 할아버지는 나의 선입견을 모두 깨주었고, 나는 걱정은 모두 쓸데없었음을 깨닫게 되었다.

자오 할아버지는 스스로를 노인으로 여기지 않았고, 남을 번거롭게 하지 않았으며, 오히려 남을 돕는 것을 좋아했다. 인터뷰는 정오 무렵에 10여 차례 정도 진행했는데, 도시락을 사가려고 하면 어디 도시락이 맛있는지 모른다며 가르쳐 주시지 않고, 직접 사오겠다고 고집했다. 아니면 직접 점심을 만들면서 거들지도 못하게 했다. 가장 인상 깊었던 일은 편집부 직원들과 함께 찾아갔을 때 100세의 노인이 젊은이 다섯 명에게 차를 내온 것이다. 그러고는 베란다에 설치한 주방에서 요리를 하더니 30분도 되지 않아 탁자 가득 요리를 만들어 내왔다. 앉아 있던 사람들은 좌불안석에 양심의 가책을 느끼고 있었지만, 자오 할아버지는 바빠도 즐거워 보였다.

자오 할아버지는 스스로에게 엄격하고, 남에게 관대하다. 젊은 사람에게는 너그럽게 대하지만, 윗사람이나 동료에게는(나이가 어린 동료라도) 존경의 예를 갖춘다. 특히 어머니에 대한 존경심은 대단하다. 젊은 남성이 "우리 엄마가 말이야"를 입에 달고 다니면 마더 콤플렉스라며 비웃음을 살 것이다. 하지만 자오 할아버지가 매번 "어머니가 말씀하시길"이라고 말할 때는 어머니에 대한 사모의 정과 그리움이 느껴졌다.

자오 할아버지는 인내심도 매우 강했다. 인터뷰할 때 내가 산둥 말투를 잘 알아듣지 못하더라도 짜증 내지 않고 반복해서 이야기해 주거나 종이에 써서 보여 주었다. 녹음으로는 시간이 오래 소요될 것이라 염려한 자오 할아버지는 나중에는 아예 내용을 필기해 주었고, 그 덕에 시간을 꽤 절약할 수 있었다.

자오 할아버지와 함께 있으면서 나 역시 그의 제자들이 말한 것처럼 그가 100세가 넘는 노인이라는 사실을 잊어버렸다. 그는 보통의 어르신들처럼 어른 대접을 받으려는 태도가 전혀 없었고, 머리 회전이 빨랐으며, 동작도 민첩했다. 자오 할아버지의 비상한 기억력이 없었다면 100년의 역사를 거슬러 올라가는 이 책은 아마 출간되기 어려웠을 것이다.

그의 기억은 세 살 때부터 시작되는데, 누구와 무슨 일을 언제 어디서

했는지, 어느 것 하나 빠뜨리는 것 없이 상세히 묘사했다. 특히 고향에서 남쪽으로 향하는 피난길에 거쳐 간 지명이 총 20여 개 나오는데, 지명을 언급한 순서가 틀렸을까 봐 걱정이 되어 구글 지도에서 찾아보았더니 거의 틀린 부분이 없었다.

자오 할아버지에게 가장 부러운 점은 장수와 건강이다. 사실 할아버지가 병이 나는 일은 거의 없는데, 막바지에 인터뷰를 위해 방문했을 때 허리가 조금 아프다고 했다. 하지만 겉보기에는 정상이었다. 나중에 안 사실인데, 며칠 전에 입원했다가 내가 방문하기 전날 밤에야 퇴원했다고 한다. 자오 할아버지는 몇 시간 자고 일어난 후 평소와 다름없이 인터뷰를 진행하고, 끝난 후에 지하철을 타고 진찰을 받으러 갔다.

인터뷰를 진행하면서 나는 자오 할아버지의 몸에서 퍼져 나오는 인생의 찬란한 빛을 보았다. 지주 출신에 아무런 어려움 없이 자라 온 학구파 젊은이가 전쟁 통에 고향을 등지고 머물 곳 없는 떠돌이 신세가 되었지만, 아무리 어려워도 포부를 버리지 않았으며, 가혹한 환경 속에서 더 꿋꿋이 버티고 임기응변의 지혜와 담력을 키웠다. 그러면서도 늘 정기와 강직함을 잃지 않았다. 사상검열자로 일할 때 을 등급이라는 대가를 치르면서까지 학생의 누명을 벗겨 주려 하고, 학생을 위해 보증까지 선 그의 용기는 실로 값지다 할 수 있다.

자오 할아버지는 넉넉하지 않은 형편이었지만, 도움이 필요한 사람을 보면 언제고 손을 내밀었고, 몇 번씩이나 친구의 유골을 직접 고향으로 보내 주었다. 또 어려움에 처한 학생들을 도왔고, 기숙사를 개방해 독서실처럼 이용할 수 있게 했으며, 무료로 숙식을 제공했다. 그래서 모두 자오 할아버지가 풍족한 줄로만 알았다.

자오 할아버지는 석사 학위를 받은 후 인기가 더 높아졌다. 길을 걷다 보면 알아보는 사람이 있을 정도지만, 그는 아직도 낡은 퇴직자 기숙사에서 산다. 생활은 그야말로《논어》의 한 구절인 '소쿠리에 담은 밥에 표주박의 물을 떠 마시고 누추한 골목에 살면서도 다른 이들 같으면 감내하기 어려울 텐데 그 즐거움을 바꾸지 않는다'와 같았다.

자오 할아버지의 일생에는 시대적 혼란 속에서 발버둥 치며 지켜 낸 강인한 생명력이 있다. 놀라운 것은 세월을 감투 삼아 살아가고, 나이를 먹을수록 비범해진다는 것이다. 나는 자오 할아버지의 2막을 기대하고 있다. 분명 아주 근사하고 멋질 것이다.

팡야후이(집필자)

부록

제자들이 본 자오 할아버지

2011년 7월 20일, 900년 역사의 런던 리딩 스쿨(Reading School)을 100세를 맞이한 자오무허가 방문했다. 그는 이 자리에서 '리딩중학(雷丁中學)' 등의 문구를 조충체로 써서 학교에 기증했으며, 100년의 삶과 장수 비결을 현장에 있던 10여 명의 직원과 20여 명의 학생들에게 들려주었다. 학생들은 평소 중국어를 배워서 한자가 낯설지 않았지만, 이런 신기한 서체는 처음 접했기에 연이어 감탄을 터트렸다. 자오무허의 100번째 생일을 맞이해 학교에서는 케이크를 준비했고, 학생들은 앞다투어 자오무허와 기념사진을 찍는 등 분위기가 잔뜩 들떠 있었다.

자오무허가 영국을 찾은 이유는 작품을 대영도서관에 기증하는 일 외에도 학교와 가정을 방문하고, 최소한 두 번의 생일파티를 치를 계획이 있었기 때문이었다. 자오무허는 제자들이 특별히 장미 100송이가 장식

된 케이크를 준비한 것을 보고 감동해서 그만 눈물을 흘렸다. 12일간의 바쁜 여정은 그를 존경하고 사랑하는 제자들이 계획한 것이었다.

영국에 거주하는 중메이샹은 가오슝 사범대학 영어과 5회 졸업생으로, 작품 기증을 추진한 주요 인물 중 한 명이었다. 중메이샹은 4월에 타이완을 방문했을 때, 빡빡한 스케줄에도 시간을 내서 타이베이에서 고속철도를 타고 가오슝을 오가는 등 열두 시간 동안 700킬로미터를 이동하는 강행군을 했다. 자오무허의 영국행에 동행할 사람을 찾기 위해서였다.

그 후 중메이샹은 여름휴가 기간 내내 인맥을 전부 동원해 자오무허의 영국행 스케줄을 조절하고 관련 수속을 밟았다. 한 친구는 항공권을 지원해 주었고, 그 밖의 많은 사람이 자오무허 한 사람을 위해 애썼다. 중메이샹은 "그럴 만한 가치가 충분히 있는 일이었다"라고 말했다.

자오무허와 동행한 한 제자는 타이완에서 영국까지의 여정 내내 그를 성심성의껏 돌봤을 뿐 아니라 항공권과 숙박 비용을 스스로 부담하고 이를 당연하게 여겼다. 그 이유에 대해서도 "선생님께서는 나를 예뻐해 주시고, 잘 대해 주셨다"라고만 말할 뿐이다. 그는 영국에서 돌아온 후 홍콩에서 열리는 전시회에 쓰일 60폭짜리 족자를 산둥에서 가지고 와서 표구하기 위해 자오무허와 함께 중국으로 갔고, 또다시 항공권을 스스로 부담했다. 10월 11일에 중국에 도착해 18일에 타이완으로 돌아오는 여정으로 중국에서 여드레 머물렀다. 홍콩에서 열린 전시회에는 가오슝 사범대학 국문과 1회 졸업생이자 자오무허로부터 조충체를 배우는 유일한 제자인 예수이룽이 함께했다.

제자들은 100세가 넘은 노인이 오랜 시간 비행기를 타는 것에 걱정이 앞섰지만, 정작 본인은 담담했다. 그는 도대체 어떤 스승이기에 제자들이 학교를 졸업한 지 30년도 더 된 지금까지 그를 위해 어떤 고생도 마다하지 않는 것일까?

'학생을 마치 자식처럼 생각하는 것'이 제자들이 이구동성으로 밝히는 가장 감동스러운 부분이었다.

중메이상은 타이베이 여자사범학교를 졸업하고 교사로 몇 년 일한 뒤 정부의 추천으로 가오슝 사범대학에서 공부하게 되었다. 여자사범학교에서 영어를 배운 적이 없어 공부가 몹시 힘들었고, 휴학까지 생각하게 되었는데, 이때 자오무허가 중메이상을 격려하며 개인 지도 교사까지 붙여 주어 슬럼프를 극복하도록 도와주었다.

자오무허와 영국 · 중국행에 동행한 제자는 대학교 2학년 때의 그날을 잊지 못한다. 자오무허가 갑자기 기숙사로 들어오더니 일면식도 없는 그에게 넥타이를 선물했다. 당시 사상검열자는 고발이 주 업무기 때문에 학생들에게는 무척이나 두려운 존재였다. 하지만 친구들이 무슨 문제가 생기면 자오무허를 찾아가고, 몇몇 선배가 퇴학당할 위기에 처했을 때 그가 학교에 남을 수 있도록 도와주는 것을 보고 다른 사람들과는 다르다는 생각을 하게 되었다. 넥타이를 받고 답례로 선물을 하려고 자오무허를 찾아간 것이 계기가 되어 그들은 그 후로 38년이나 인연을 이어가게 되었다.

국문과 1회 졸업생 차이궈빈은 1967년에 자오무허를 알게 됐으니 46년이나 자오무허와 알고 지낸 셈이다. 1976년부터는 가오슝 사범대학 실습보도실에서 자오무허와 함께 일하기 시작하면서 누구보다도 성실한 그의 모습을 보게 되었다. 그는 이렇게 말했다.

"학생이든 졸업생이든 무슨 일만 생기면 선생님을 찾았고, 선생님은 최선을 다해 도와주었다."

당시 사범대학을 졸업하면 1년간 실습을 해야 했는데, 한 학생이 학점이 모자라 다시 학교로 돌아가 수업을 들어야 했다. 그런데 기숙사에 자리가 나지 않아 자오무허의 집에 묵게 되었다. 차이궈빈은 이에 대해 이렇게 이야기했다.

"이 학생만 특별했던 것이 아니라 꽤 많은 학생이 그렇게 했다. 나중에는 아이들도 드나들었으며, 어떤 학생은 하루 이틀이 아니라 학기 내내 머물렀다."

중메이상도 당시 자오무허의 집은 학생을 위해 활짝 열려 있었고, 언제든지 드나들 수 있고 마음대로 먹고 마실 수 있었으며, 불만이 있으면 허심탄회하게 털어놓을 수 있는 공간이었다고 말했다. 한번은 한 학생이 실연을 당하고 기숙사의 통금 시간이 지나도록 돌아오지 않아 친구들이 걱정했던 적이 있었다. 알고 보니 그 학생은 늦은 밤에 자오무허의 집을 찾아가 문을 두드린 것이었다. 중메이상은 "그곳은 학생들에게 집 같은 곳이었다"라고 말했다.

나이를 먹으면 나이에 기대어 유세 떨고 싶은 마음이 생기기 마련이지만, 자오무허는 전혀 권위적이지 않고, 거리감이 없으며, 남을 함부로 대하지 않는 것이 가장 좋았다고 중메이상은 말했다.

"선생님과 함께 있으면 마음이 아주 편안하다."

예수이룽은 자오무허가 사상검열자로 일할 때 많은 학생을 돕고 묵묵히 선행을 실천한 데 감명받았다고 말했다.

"어떤 이들은 선생님의 도움을 받고도 모를 때도 있었다."

자오무허는 다른 사람을 돕는 것을 자신의 책임처럼 여겼다. 예수이룽은 "선생님은 무슨 일이든 당신의 이익을 먼저 생각하는 법이 없었고, 늘 남의 일을 우선시했다"라고 말했다. 그는 특히 자오무허가 많은 동향의 유골을 고향에 보내 준 일에 감동했다.

"병이 나면 병원에 데려다 주고, 장례도 주관하며, 유골까지 고향에 보내 주었다. 선생님은 일을 끝까지 책임졌고, 아주 원만하게 잘 처리했다."

중메이샹은 자오무허가 작년에 영국에 갔을 때 붓을 거의 손에서 놓은 적이 없었다고 말했다. 작품을 원하는 사람이 있으면 절대 거절하지 않았는데, 너무 많은 사람이 요청하다 보니 한 사람 앞에 한 글자씩만 선물하기로 정해 두었다.

"한 글자로 한계를 정했지만 '숙제'가 끝나지 않아 결국 타이완까지 들고 와야 했다."

중메이샹이 웃으면서 말했다. 그는 자오무허가 나이는 먹었지만 쇠약해지지 않았으며, 여전히 독립적이라고 말했다.

"단 한 번도 선생님을 노인이라 생각한 적이 없으며, 심지어 100세가 넘었다는 것조차 종종 잊어버린다."

중메이샹은 1986년에 처음 자오무허가 유럽 여행을 했을 때 영국의 자신의 집에서 한 달간 머물렀지만 전혀 번거롭거나 힘든 일이 없었다고 이야기했다.

차이궈빈은 자오무허가 절대 남의 도움을 빌리지 않았다고 말했다.

"선생님은 길을 건널 때도 남의 부축을 받지 않고 혼자서 건너신다."

하지만 남이 도움을 요청하면 언제든지 응해 주었다. 염치없이 열 폭짜리 서예 작품을 요구하는 사람도 있었는데, 그때도 자오무허는 기꺼이 써주었다고 한다. 차이궈빈이 자오무허에게 어렵거나 쓸데없는 일은 거절하라고, 몸이 감당하지 못한다고 했지만, 자오무허는 웃기만 했다.

자오무허에게서는 전통의 미덕을 찾아볼 수 있다. 2011년에 영국에서 생일 파티를 연 다음에 타이완에서도 축하 연회를 준비했는데, 자오무허는 그때 초대된 학교의 교수 및 직원들을 연회가 끝난 후 일일이 찾아가 감사 인사를 전했다. 경비에게까지 감사하는 모습에 예수이룽은 큰 감동을 받았다.

중메이샹은 영국 주재 타이완 대사관의 참사관인 장샤오위에가 식사를 대접했을 때 자오무허가 급하지도 느리지도 않게 매우 침착하게 행동했던 것을 기억한다. 어려서부터 집안의 가풍이 몸에 밴 것이다.

"선생님은 어떤 상황과 장소에서도 적절하게 행동했다."

차이궈빈은 자오무허의 모습에서 장수의 비결을 발견했다. 그것은 '남과 다투지 않고 밝은 마음을 유지하는 것'이었다. 그는 "선생님처럼 인생에 대해 생각이 깨인 사람은 매우 드물다"라고 덧붙였다.

자오무허는 이익을 다투지 않았지만, 원칙을 추구했다. 차이궈빈은 자오무허의 산둥인 특유의 기질을 좋아했는데, 그는 옳다고 믿는 것은 끝까지 밀고 나갔으며, 원칙을 지키기 위해 싸웠다. 게다가 남을 해하는 일이 절대 없었다.

차이궈빈은 석사 공부를 시작하는 일에 대해 자오무허와 상의했을 때 자신이 마흔에 석사 과정을 밟았을 때 힘들었던 기억이 떠올라 포기를 권유했다. 하지만 자오무허는 순조롭게 석사 학위를 땄고, 차이궈빈은 40~50명의 친구들과 함께 졸업식에 참석했다. 그는 “선생님이 박사 학위에도 도전하는 것은 아닌지 우리는 몹시 걱정스러웠다”라고 말하며 웃었다.

그는 자오무허가 점점 약해지는 것을 보며 마음이 아팠다.

“그해 선생님은 몸무게가 5킬로그램이나 빠졌다. 하지만 선생님은 멈추지 않고 늘 앞을 향해 나아가리라는 것을 알고 있다.”

후기 1

우리 시대의 가장 훌륭한 모범

천먀오성(난화 대학 총장)

2007년, 본교 철학과에 96세의 고령의 신입생이 입학했다. 배움에 대한 강한 의지를 지닌 그는 매일 가오슝과 자이를 오가며 수업을 들으면서 지각, 조퇴, 결석 한 번 하지 않았다. 그는 2년 후 순조롭게 철학과 석사 학위를 따고, 타이완의 최고령 석사 기록을 세웠다. 그가 바로 학생과 교수들 사이에서 '자오 할아버지'로 불리는 자오무허다.

자오 할아버지는 그때 지인의 아들을 독려하기 위해 대학원 시험에 응시한 것이었다. 그는 '일단 결심하면 최선을 다해 노력한다'라는 원칙에 따라 본교의 철학과에 시험을 쳤다. 내가 본 자오 할아버지는 부지런히 공부하고 교수에게 깍듯한 학생이었다. 수업 시간에 교수가 교실에 들어오면 매번 꼬박꼬박 인사했으며, 수업 중에는 항상 서서 발표했으니 젊은이들이 본받을 만했다. 자오 할아버지는 친근감 있고 박학다식하며, 마음이 젊고 유머가 풍부해 젊은 사람과 세대 차이가 없었다. 그래서 학생들이 자발적으로 영어 원서를 번역해 주었으며, 손으로 쓴 글을 타이핑해 주었다.

자오 할아버지는 지식과 배움에 대한 열정이 대단했고, 학문에 게으르지 않았으며, 강의를 열심히 경청했다. 결석 한 번 하지 않았고, 리포트는 늘 제때 제출했으며, 컴퓨터를 배우기도 했다. 특히 독특한 조충체 서예에 능했으며, 〈중국 서예 예술 정신 연구 — 조충체를 중심으로〉라는 논문으로 석사 학위를 따냈다. 자오 할아버지의 학구열은 모두에게 모범이 되었으며, 평생 공부를 실천하는 가장 훌륭한 모델이 되었다. 그래서 학교에서는 특별히 졸업식 날 상을 제정해 만학도를 독려했다.

100세가 넘은 자오 할아버지는 언제나 진지한 태도로 하루하루를 살아가고, 공부에 대한 열정으로 젊게 살며, 끊임없는 노력으로 건강을 지킨다.

'생활은 간단하게, 좋아하는 것을 즐기며.'

이것이야말로 그의 장수 비결이자 인생철학으로, 그는 이러한 마음가짐으로 한 세기를 살아가며 적잖은 기록을 남겼다.

75세, 홀로 유럽 여행을 떠나다.

78세, 혼자 어린 손자를 돌보다.

91세, 쿵중 대학을 졸업하다.

96세, 난화 대학 철학 연구소에 합격하다.

98세, 난화 대학 철학 연구소를 졸업하고 석사 학위를 받다.

100세, 거의 실전된 조충체의 맥을 타이완에서 이어 가고, 현대 중국과 타이완 최초로 대영도서관에 작품이 소장되는 영광을 누리다.

그리고 101세가 된 자오 할아버지는 《유유자적 100년》을 출간해 '100세가 넘어 저자가 되는' 기록을 다시 한 번 세웠다.

《유유자적 100년》은 전기, 역사와 자기계발이 합쳐진 형태의 책으로, 자오 할아버지가 '공부를 사랑하는 마음, 고생을 달게 여기는 마음, 세상에 나아가는 마음, 유유자적한 마음, 인생을 즐기는 마음' 속에서 어떻게 결코 포기하지 않는 불굴의 정신으로 즐겁게 살아가는지 배울 수 있다.

자오 할아버지는 전쟁을 몸소 겪고, 타이완의 100년간의 변화를 구체적으로 경험했다. 이 책은 자오 할아버지의 귀중한 인생 경험과 철학, 그리고 생명의 소중함에 대해 소개하고 있어 깊이 음미하며 읽을 가치가 충분하다. 독자 여러분도 자오 할아버지가 말하는 이 다섯 가지 마음을 바탕으로 하루하루를 살아가고, 아름다운 인생을 펼쳐 나가기를 바란다. 또한 자오 할아버지가 더욱 풍요롭고 다채로운 삶을 누리고 모두와 나눌 수 있기를 기대해 본다.

후기 2

만족을 알면 삶이 즐겁다

다이자난(가오슝 사범대학 명예 교수)

1972년, 나는 가오슝 사범대학 총장 쉐광주의 초빙으로 교무 주임 겸 과외활동조 주임으로 일하게 되었다. 자오무허는 당시 학생의 실습 지도와 사상검열 업무를 담당했다. 1978년에 내가 총무장을 겸임할 때 기숙사를 옮기면서 자오무허와 이웃이 되어 지금까지 30년 이상 가까이에서 지내고 있다.

자오무허는 오랫동안 학생들을 돌보면서, 학업, 생활, 연애, 결혼, 유학 등 여러 문제를 해결해 주었으며, 늘 학생들에게 존경을 받았다. 일찍이 학교를 졸업한 한 학생은 2대에 거쳐 자오무허의 자상한 보살핌을 받기도 했는데, 이는 졸업생 사이에서 미담으로 전해지고 있다. 그 덕분에 자오무허는 고령에도 몇 차례나 유럽, 미국, 뉴질랜드를 여행하고 제자들의 뜨거운 환영과 도움을 받을 수 있었다. 제자들에게 자오무허는 선생일 뿐 아니라 가족이기도 하다.

사상검열 업무는 보통 베일에 싸여 있어 일반인에게는 생소하며, 사상검열자 때문에 곤욕을 치른 사람도 적지 않다. 하지만 자오무허는 늘 공정하게 일을 처리했고, 절대로 억울한 일을 만들지 않았으며, 학생과 동료의 권익을 보호하는 데도 늘 힘썼다. 과거에 군대에 있을 때 크게 고생한 적이 있어서 그렇기도 했겠지만, 그보다는 선량한 사람을 보호하고 잘못을 저지른 사람을 일깨우고자 하는 그의 신념이 크게 작용했기 때문이라고 생각한다. 하지만 이 때문에 몇 번씩이나 손해를 보기도 했다.

1981년, 가오슝 사범대학은 가오슝 여자사범학교의 구교사를 철거하고 행정관, 교육관, 도서관을 지었다. 당시의 린칭장 총장은 이미 퇴직한 자오무허에게 공사 감독 자리를 맡겼다. 자오무허는 1년 365일을 공사 현장에서 지냈으며, 10층짜리 건물을 매일 몇 번씩 오르내리며 설계대로 시공할 것을 엄격하게 요구했다. 건물들은 태풍이나 지진에도 견딜 수 있도록 튼튼하게 지어졌다. 게다가 공사가 끝난 후에 자오무허는 2년 넘게 일하며 받은 월급을 전부 학교에 기부했다. '남과 다투지 않고, 욕심내지 않으며, 만족을 알고, 돈은 쓸 만큼만 있으면 충분하다'라는 그의 인생철학을 그대로 보여 주는 일이 아닐까 싶다.

또한 자오무허는 학교 동료나 오랜 고향 친구들의 후사를 돌보는데도 적극적이었다. 그가 홀몸이든 유족이 있든 상관없이 열심히 도왔으며, 의무적으로 유골을 고향으로 보내 주었다. 자비를 털어 이런 일을 했지만, 언제나 불평 한마디 없었다.

매체에서 보도한 덕분에 많은 사람이 그가 손자와 함께 대학 시험을 본 일을 알고 있다. 쿵중 대학을 졸업한 후 자오무허는 다시 석사 공부를 하고 싶어졌다. 당시 나는 가오슝 사범대학 총장을 맡고 있었는데, 그가 제자와 함께 추천서를 받으러 왔다. 그로부터 몇 년 후 자오무허는 98세라는 고령에도 난화 대학 철학 연구소를 졸업했다. 배움에 대한 그의 열정에 나도 적잖이 감동받았다. 정부에서 평생 학습을 장려하고 있는 지금, 자오무허는 전 국민의 좋은 본보기가 아닐 수 없다.

복이 많은 사람은 100년을 산다고 하지 않았던가? 자오무허는 타이완과 역사를 같이하고 있으며, 새로이 책을 내는 경사를 누리게 되었다. 타이완의 독특한 표현을 빌려 어르신에게 축하 인사를 올리고자 한다.

"100년을 훌쩍 들이마신 것을 축하드립니다."

후기 3

나날이 인기가 올라가는 자오 할아버지

여우후이전(난화 대학 철학 · 생명교육학과 교수)

3년 전 98세의 고령에 난화 대학 철학 연구소를 졸업하고 석사 학위를 딴 자오 선생은 우리 학교에서는 자오 할아버지로 통한다. 처음 자오 할아버지를 만난 것은 2006년의 일로, 난화 대학 출판 연구소의 석사생과 함께 난화 대학을 방문했을 때였다. 우리는 난화 대학의 아름다운 교정에서 우연히 만났고, 소개를 받고 난 후 즐겁게 대화를 나누었다. 나는 그가 학업에 뜻을 두고 있다는 것을 알았고, 공부에 대한 열정에 감탄해 입학 전에 먼저 공부를 시작하게 했다.

자오 할아버지는 가오슝에서 차를 몇 번씩 갈아타고 난화 대학에 오는 먼 여정을 매주 세 번씩 반복했다. 그는 1년간의 청강을 마치고 2007년에 본과에 입학하여 타이완 최고령 대학원생이 되었고, 2년간 전공 수업을 듣고 학위 구술시험을 순조롭게 통과했다. 그는 교육부에서 적극적으로 권장하는 평생 학습의 가장 좋은 모델이 되었으며, 교육부로부터 특별히 '평생 학습상'을 받는 영광을 누렸다.

자오 할아버지는 연장자지만 수업 시간에는 늘 겸손하고 공경심을 지니고 있었다. 자오 할아버지는 항상 내 오른편 제일 앞자리에 앉곤 했는데, 그는 늘 내가 교단에 선 후에야 착석했다. 그렇게 예를 갖출 필요 없다고 몇 번이나 말했지만, 그는 항상 그렇게 했다. 학생들에게 모범이 되지 않을 수 없었다. 그는 평생 배움을 실천했으며, 스승을 존중하는 태도에 진심이 배어 있어서 다른 학생들은 그를 통해 학문에 대한 진지한 마음가짐을 배울 수 있었다.

자오 할아버지는 2년 동안 비바람이 불어도 수업에 빠지지 않았으며, 수업에도 늘 적극적으로 참여했다. 발표나 학기 말 보고 때도 젊은 학생들에게 전혀 뒤지지 않았다. 그는 종종 가방에 먹을 것을 잔뜩 싸와 학생들에게 나누어 주며 배가 고픈 것은 아닌지 신경 썼으며, 학생들도 자오 할아버지가 먼 길을 오가며 지치지는 않았는지 걱정하며 가오슝 역까지 바래다주곤 했다. 학교 연수를 계기로 자오 할아버지와 학생들 사이에 관심과 정이 싹텄으며, 매주 수업 시간에 아름다운 모습이 연출되었다. 지금까지도 교수와 학생들은 즐거웠던 그 시절을 돌이켜 보곤 한다.

자오 할아버지는 학점을 다 채우고, 평생 동안 갈고닦은 조충체 연구의 정수가 담긴 석사 논문을 제출했다. 논문은 서예에서 그가 이룬 성취에 대한 깊이 있고 풍부한 이론적 기초와 객관적인 근거가 되었다. 뿐만 아니라 사회와 대중에게 그의 연구 정신과 의지력, 결심을 알리는 계기가 되었다. 난화 대학은 기네스북에 기록 등재를 요청했고, 그는 98세의 나이에 석사 학위를 딴 것으로 기네스북에 올랐다. 고령의 나이에 배움을 실천하고 학위를 따 세계 기록을 세웠다는 것이 자랑스럽지 않을 수 없다.

2년 전 둥하이(東海) 대학에서 열린 연구 토론회에 참가했을 때, 박사 과정을 밟으면서 직장을 다니는 학생을 알게 되었다. 그는 은행에서 지점장으로 일하고 있었는데, 과중한 업무와 학업 스트레스 때문에 학업을 계속 이어 가야 할지 고민 중이었다. 그는 자오 할아버지가 98세의 나이에 석사 학위를 딴 이야기를 듣고는 아직 예순이 되지 않은 자신은 젊은 편이라고 생각했다. 그리고 자격시험을 통과하고 영어 실력을 갖춰 논문 작성에 대한 부담을 줄이기로 마음먹었다. 결국 그는 그 학기에 순조롭게 박사 논문 구술시험에 통과하고, 박사 학위를 땄다. 자오 할아버지의 본보기가 없었다면 사람들은 나이나 일을 핑계로 쉽게 포기해 버렸을 것이다. 그러나 우리는 더 이상 시간이 부족하다거나 나이가 너무 많다는 핑계를 댈 수 없다.

자오 할아버지는 졸업한 후에도 학과에서 초대하면 매번 기쁜 얼굴로 찾아 준다. 그는 마치 친정에 찾아오듯 매 학기 사제 간의 친목 모임과 후배의 졸업식에 참석하며, 더 나아가 학과 행사에 졸업생 대표로 참석하기도 한다. 때로는 아무런 행사가 없어도 갑자기 찾아오기도 한다. 웃음 띤 얼굴로 우리가 보고 싶었노라고 말하며 교수와 어린 학생들을 만나러 가는 그의 따뜻한 마음에 나는 또 한 번 감동받았다. 학교 후배들도 잊지 않고 친정에 돌아온 자오 할아버지를 포착해 그 모습을 인터넷에 올린다. 덕분에 전교생이 언제든지 자오 할아버지의 최신 정보를 접할 수 있다.

글을 쓰다 보니 자오 할아버지가 생각나 수화기를 들었다. 안부를 여쭤 보니 수화기 속에서 산둥 말투의 익숙한 목소리가 들려온다.

"교수님, 잘 지내셨어요? 마침 급한 일이 끝나서 학교에 가서 교수님 뵐까 했어요."

자오 할아버지는 늘 정중히 예를 갖춘다. 무슨 일로 바빴는지 여쭈니 홍콩 서예전과 평생 학습 관련 회의 준비로 그동안 꽤 바빴다고 한다. 자오 할아버지는 잠시도 쉬지 않으며 노익장을 과시한다. 100세 고령의 자오 할아버지는 평생 배움을 실천했으며, 나날이 인기가 올라가고 있다.

자오 할아버지의 이 책을 통해 아름다운 꿈을 꾸고, 그 꿈을 실현하기 위해 노력하는 사람이 더욱 많아지기를 기원한다.